D1444359

Ces femmes de l'au-delà

11 récits extraordinaires

Michel de Grèce

Ces femmes de l'au-delà

11 récits extraordinaires

Photographies de
Justin Creedy Smith

Plon

© Plon, 1995
ISBN 2-259-18236-4

A M.J.

A mes parents.

« A peine passai-je le mur, aussi fin qu'une feuille de papier, qui sépare la vie de la mort, que je crus toucher à la joie, à la paix. Mais voilà que j'étais retenue. La lumière était à ma portée et je ne pouvais la rejoindre. Dès cet instant, cependant, je sus qu'un jour j'atteindrais cette lumière provisoirement inaccessible. »

La dame de Grazzano

Promenade chez les fantômes en guise de préface

« Il y avait à Athènes une maison vaste et commode, mais mal famée et maudite. Dans le silence de la nuit, un bruit métallique se faisait entendre ; prêtait-on l'oreille, un cliquetis de chaînes résonnait au loin d'abord, puis plus près ; ensuite apparaissait un spectre : un vieillard exténué de maigreur, en haillons avec une grande barbe et des cheveux hérissés. Il avait les pieds entravés et ses mains agitaient des fers. Les habitants de la maison passaient des nuits sinistres et affreuses, privés de sommeil par l'effroi ; ces insomnies les rendaient malades puis, la frayeur allant croissant, ils mouraient. Même en plein jour, quand l'apparition n'était plus là, leurs yeux en étaient obsédés et la crainte survivait aux motifs de la crainte. En conséquence, la maison fut désertée et abandonnée tout entière au fantôme. Elle était cependant proposée à la location ou à l'achat pour le cas où, dans l'ignorance d'une pareille tare, un client se présenterait.

« Le philosophe Athénodore vint à Athènes ; il vit l'affiche, et la modicité du prix attira son attention. Il s'informe, apprend tout, en dépit de quoi, ou plutôt à cause de quoi, il loue la maison. A la tombée de la nuit, il se fait préparer un lit dans l'entrée, apporter de petites tablettes, un stylet, de la lumière ; il envoie ses gens au fond de la demeure, tandis qu'il consacre à l'étude son esprit, ses yeux et sa main, afin que son imagination ne soit pas livrée à elle-même et n'aille pas lui représenter des bruits de fantômes ni l'assaillir de vaines craintes.

« D'abord, comme partout ailleurs, c'est le silence ; puis il entend des coups sur du métal et un remuement de chaînes. Il ne lève pas les yeux, ne lâche pas son stylet, mais s'obstine dans sa concentration et s'efforce de l'opposer aux perceptions de son oreille. Le bruit augmente, se rapproche et semble provenir du seuil, puis de l'intérieur de la pièce. A ce moment, Athénodore se retourne, et reconnaît ce qu'on lui a décrit. L'apparition est là, dressée, elle fait du doigt un geste d'appel. Le philosophe, à son tour, lui donne à comprendre qu'elle doit attendre un peu et il reporte son attention sur ses tablettes et son stylet. L'autre, penché au-dessus de lui, tandis qu'il continue à écrire, agite ses fers. Athénodore se tourne à nouveau, voit l'apparition refaire le même signe. Sans hésiter davantage, il prend la lumière et la suit. Elle marche lentement, comme alourdie par ses chaînes, jusque dans la cour et s'évanouit subtilement. Resté seul, le philosophe fait un tas d'herbes et de feuilles pour marquer exactement l'endroit. Le lendemain, il va trouver les magistrats et leur dit de faire creuser le sol. On découvre alors, mélangés dans des chaînes, des os dont les chairs étaient redevenues poussière par l'action du temps et de l'humidité. Recueillis à l'initiative des magistrats, ces restes furent enterrés. Après cela la maison ne fut plus visitée, les Mânes étant désormais pourvus d'une sépulture en règle. »

Cette histoire date du Iᵉʳ siècle après Jésus-Christ, et c'est Pline le Jeune qui, dans ses *Lettres*, la raconte en ces termes. Preuve que les fantômes existent depuis des siècles, voire des millénaires.

César se montra à son assassin Brutus probablement pour raviver ses remords. Sous Louis XIV, les trop jolies dames d'honneur de la reine mère Anne d'Autriche défaillaient de terreur en traversant la longue galerie de Fontainebleau car François Iᵉʳ, le roi paillard mort deux siècles plus tôt, leur apparaissait fréquemment, « couvert d'une robe de chambre verte à fleurs ». Le 5 mai 1821, Madame mère, alors retirée dans un sombre palais romain, accepta de recevoir un homme qui avait refusé de dévoiler son identité mais qui arrivait de Sainte-Hélène. Restée seule avec lui, elle le vit écarter la cape qui lui cachait le visage, et à sa stupéfaction reconnut son fils Napoléon. Le croyant enfin échappé à ses geôliers, elle voulut se précipiter dans ses bras. Il l'arrêta, et, reculant lentement, disparut dans l'antichambre. Dès que, ayant retrouvé ses esprits, elle s'y précipita, non seulement il n'y avait personne mais ses valets lui assurèrent que personne n'était passé. Il lui fallut attendre plusieurs semaines pour apprendre que ce jour-là, à cette heure-là, dans l'île perdue au milieu de l'océan, l'Empereur était mort. Louis II de Bavière, peu de temps après qu'on l'eut trouvé noyé, vint rendre visite à sa cousine et complice, l'impératrice Élisabeth d'Autriche, pour lui parler de l'au-delà. Le roi George V, alors jeune cadet dans la marine britannique, et déjà totalement dépourvu d'imagination, une nuit où il était de garde sur le pont, vit passer à quelques encablures l'illustrissime vaisseau fantôme qui depuis des siècles poursuit sa course sur les océans.

Après la mort de son fils unique, massacré par les Zoulous, l'impératrice Eugénie tint à se rendre sur le théâtre de la tragédie. Au terme d'un éprouvant voyage, on ne put que lui montrer une plaine immense et vide car nul ne connaissait le point où était tombé le prince impérial. L'impératrice arpenta longuement la prairie, puis elle s'arrêta et déclara que son fils était mort exactement là où elle se trouvait. Aux questions, elle répondit qu'à cet endroit précis, elle avait senti très distinctement l'essence de violette dont il se parfumait toujours. Pour se manifester, en effet, les fantômes font appel non seulement à la vue mais encore à l'odorat, à l'ouïe, au toucher.

Certains ont aussi le don d'ubiquité. Des mortes aussi célèbres qu'Anne Boleyn ou Marie Stuart, qui cumulent beauté légendaire, amour passionné et fin tragique, apparaissent, avec ou sans tête, dans différents lieux de leurs vies palpitantes. Henri VIII, après avoir fait exécuter la première, se contenta de l'enterrer à la sauvette, ce qui fut loin de la satisfaire. Aussi, il y a quelques décennies, un officier qui effectuait une ronde nocturne dans la Tour de Londres aperçut, malgré l'heure tardive, les vitraux de la chapelle de Saint-Pierre-aux-Liens illuminée. Étonné, il voulut y pénétrer mais la porte était fermée à clef. S'étant procuré une échelle, il l'appliqua contre l'un des murs du sanctuaire et grimpa jusqu'à une fenêtre. Ce qu'il découvrit à l'intérieur manqua de le faire choir de stupéfaction. Dans la travée centrale s'avançait, lentement, silencieusement, un cortège de seigneurs et de dames portant des tenues de l'époque des Tudors et tous en grand deuil. Venait en dernier une femme somptueusement vêtue. L'officier ne la voyait que de dos ; cependant, lorsque, parvenue à l'autel, elle se retourna, il reconnut d'après ses portraits Anne Boleyn. La reine décapitée bissait son enterrement, mais cette fois avec toute la pompe requise.

Une fin tragique ne produit pas forcément un fantôme. Marie-Antoinette, par exemple, n'a été vue qu'une fois, dans les années trente, par deux vieilles Anglaises qui, au cours d'une visite au Trianon, revécurent la dramatique journée du 5 octobre 1789 dont elles ignoraient tout. Quant à Nicolas II, il se contente d'apparaître périodiquement dans un escalier de service du palais d'Hiver à des sentinelles qui ne le reconnaissent pas, mais n'en sont pas moins terrorisées et demandent à être mutées, quitte à perdre une sinécure pour une lointaine garnison.

Les fantômes ne sont pas seulement ceux de personnages célèbres apparaissant à des initiés dans des châteaux et des palais chargés de siècles et d'histoire. En fait, lequel d'entre nous, en creusant bien dans ses souvenirs, n'a pas entendu une porte grincer alors qu'aucun vent ne soufflait, des pas résonner à l'étage alors qu'il n'y avait personne dans la maison ? Qui n'a senti une présence invisible dans une maison inconnue ? Si chacun admettait plus facilement l'existence de l'inexplicable, beaucoup plus nombreux seraient ceux qui incluraient les fantômes parmi leurs relations. En réalité, tout le monde peut communiquer avec ces morts un peu particuliers. Cette possibilité fait partie des facultés que nous possédons tous au départ, et que nous laissons péricliter, puisque nous ne développons qu'une infime partie de nos pouvoirs.

Cependant, certains sont ataviquement plus sensibles que d'autres aux fantômes. Au cours d'un week-end au château royal de Sandringham, mon père se reposait avant le dîner, étendu sur son lit, un livre de Mémoires à la main. Soudain, ses yeux se levèrent malgré lui vers la fenêtre et il aperçut, dans l'encadrement, une femme debout, vêtue de façon très ancienne et très particulière. Le masque qui dissimulait son visage laissait voir un regard implorant. Mon père demanda au valet qui allait et venait dans la pièce, s'il voyait quelque chose d'anormal. Ce dernier le dévisagea avec ahurissement. Au cours du dîner, mon père raconta ce qui venait de lui arriver, déchaînant les éclats de rire de ses nièces, qui l'accusèrent d'avoir forcé sur le whisky.

Quelques jours plus tard on fit la visite d'un splendide château des environs. Mon père vit ses nièces monter à l'étage, puis redescendre à toute vitesse en l'appelant à grands cris. Elles le menèrent dans une longue galerie garnie de portraits, au milieu desquels il reconnut son fantôme, sous l'apparence qu'il avait précisément décrite. Cette fois, la femme tenait son masque à la main. Interrogé, le gardien du château déclara qu'elle était une ancêtre du propriétaire actuel. Incarcérée par un mari jaloux jusqu'à la folie, la malheureuse avait tout fait pour s'échapper et aller plaider à la Cour son innocence ; sans succès, puisqu'elle était morte en prison. Depuis, ajouta le gardien, elle apparaît aux descendants des rois d'Angleterre afin d'obtenir sa rémission.

J'ai été pour ainsi dire élevé avec les fantômes, car la famille de ma mère se montre aussi douée que celle de mon père pour les faire apparaître. Je n'étais pas encore bachelier qu'au château d'Eu j'entendais la « tête qui crie ». Ce macabre débris, réduit par les Jivaros au Brésil, avait des oreilles — l'organe le plus difficile à traiter — parfaitement miniaturisées, ce qui en faisait une rareté. Rangée dans une vitrine de la salle des curiosités au rez-de-chaussée, la tête avait la particularité de gémir à fendre l'âme chaque nuit. Mes cousins et moi l'entendions parfaitement de l'étage des salons. Souvent, nous nous précipitions jusqu'à la pièce hantée, mais, dès que nous ouvrions la porte, tout s'arrêtait et un silence absolu succédait aux gémissements.

Les fantômes courent dans notre sang, et dès mon jeune âge j'ai été habitué à accepter leur existence comme faisant partie de notre vie. Lorsque je me retrouve avec mes cousins dans une demeure nouvelle pour nous, nous en cherchons avec ferveur les défunts occupants. Nous sollicitons nos sensibilités, nous échangeons nos impressions, nous les travaillons jusqu'à les voir sortir de l'invisible et prendre forme devant nous. Probablement passons-nous pour fous aux yeux de beaucoup, pourtant, nous sommes suffisamment persuasifs pour distiller chez des incrédules un zeste de cette crainte qu'éprouvent les candides en nous écoutant.

Assez vite, j'ai pu me passer de la stimulation d'un entourage de convaincus. Certains lieux où je pénétrais pour la première fois me procuraient, même sans que je le veuille, des impressions de plus en plus nettes, au point que je me sentis capable d'affronter l'incrédulité et l'ironie.

Alors que nous étions jeunes mariés, dans les années soixante, Marina et moi fûmes hébergés au rez-de-chaussée d'un hôtel XVIIIᵉ siècle du quai Malaquais. Nous occupions une vaste chambre dont l'alcôve était délimitée par des colonnes. J'aimais m'y tenir pour y travailler et lire. A plusieurs reprises, tandis que Marina était absente, je levais les yeux de ma page, ayant perçu une présence, et persuadé qu'elle était rentrée sans faire de bruit. Il n'y avait personne. Cela arrivait aussi bien le soir que le matin ou l'après-midi. Le phénomène se renouvela si souvent que je dus bien admettre la présence d'un fantôme dans notre chambre. Je voulus en savoir plus long, et tout en continuant à vaquer à mes occupations, j'aiguisais en quelque sorte mes antennes. Était-ce un homme ou une femme, je ne savais, mais en tout cas ce fantôme possédait une qualité féminine. Il y avait autre chose : il exsudait ou plutôt embaumait l'érotisme. Je me crus d'abord victime d'un fantasme, mais l'impression ne fit que se renforcer. Finalement un soir, au cours d'un dîner avec des amis dans la salle à manger voisine, je déclarai que notre chambre était hantée, et hantée par un fantôme érotique. Je recueillis un concert d'éclats de rire et de plaisanteries salaces. Je laissai dire. A quelques mois de là, notre hôte reçut une lettre de la Société des amis de Franz Liszt l'informant que son appartement avait servi de garçonnière au compositeur qui, souvent, avait batifolé avec Marie d'Agoult dans la chambre à colonnes...

Des expériences similaires s'étant renouvelées, je dus admettre que je possédais une sensibilité un peu spéciale. Je décidai de la cultiver au moins pour la cerner, sinon pour l'expliquer. Je me plongeai dans des ouvrages consacrés aux fantômes, non pas dans les œuvres littéraires mais dans les écrits les plus austères et scientifiques. Je fis des recherches. Je voyageai pour visiter les lieux « habités ». C'est ainsi que j'aboutis à Leap, réputé le château le plus hanté d'Irlande. Dans un paysage de lande désertique, ses restes noirâtres couverts de lierre se dressaient très haut sous un ciel gris et bas. Incendié, abandonné, il tenait encore debout par miracle. Le catalogue de ses fantômes faisait son effroyable renommée. D'un mur du premier étage était sortie une créature si terrifiante que la dame qui l'avait vue ne s'en était jamais remise. Dans la chapelle située sous les combles s'étaient produites les manifestations les plus impressionnantes et les plus connues. Devant l'autel, le prêtre avait été assassiné alors qu'il disait la messe ; de la fenêtre en ogive les duellistes avaient amorcé leur saut mortel. Pourtant, c'est vers les sous-sols que je me sentais attiré. Sans essayer de comprendre, je descendis un escalier sombre, étroit, glissant, qui aboutissait dans une pièce voûtée éclairée par la vague lueur d'un soupirail. Je m'assis sur le sol gluant et je tâchai de capter. Ce ne furent pas des morts qui sortirent des murailles, mais je perçus, tapie sous mes pieds, une puissance prodigieuse et destructrice. Enfouie depuis des temps immémoriaux, elle s'était au cours des siècles manifestée indirectement et toujours d'une façon sanglante et tragique. Désormais en sommeil, elle n'en restait pas moins redoutable, cependant elle n'avait rien à voir avec les fantômes. Ainsi, les traces de sang qui apparaissent dans certaines maisons, les objets qui bougent sans qu'on y ait touché sont le fait non pas de morts venus se manifester mais d'énergies, la plupart du temps dormantes et réactivées par certaines présences. Nombreux sont les phénomènes étranges et inexpliqués qui n'ont aucun rapport avec les fantômes.

A Leap, dans la cave avec sous mes pieds le monstre assoupi, j'avais éprouvé de la peur, mais je ne m'étais pas senti en danger : chacun jouit de protections dont il suffit de demander l'intervention.

Après cette expérience, je décidai de sauter le pas et de parler des fantômes. Un prestigieux magazine me commanda des articles. Je choisis des demeures particulièrement « chargées » et j'allai sur place recueillir les témoignages.

Mon enquête m'ayant mené en Allemagne, j'arrivai par un après-midi pluvieux au château de P., une ancienne commanderie des Chevaliers teutoniques, une de ces casernes baroques propres à ce pays. On m'y promettait une « Dame rouge » et un « Chevalier blanc ». De nombreux témoins au-dessus de tout soupçon les avaient vus, certains les avaient entendus, quelqu'un avait tiré sur eux sans succès et un autre témoin avait réussi, phénomène rarissime, à photographier la « Dame rouge ». Nous fûmes reçus par une vieille baronne infiniment lasse dont on voyait qu'elle avait été une beauté, mais que le manque d'argent avait en quelque sorte déclassée et condamnée à de durs travaux ménagers, et par son gendre, un fils du peuple beau et arrogant, visiblement gonflé de vanité d'être devenu châtelain, et qui semblait, sinon terroriser, du moins réduire au silence sa belle-mère. Ils nous firent aimablement visiter les lieux, s'arrêtant dans les couloirs, les escaliers, les chambres où s'étaient produites les manifestations les plus violentes. Je prenais des notes, je me réjouissais, certain de tenir un beau sujet. Leur « déposition » achevée, mon photographe Patrick se mit à l'œuvre, et comme cet artiste travaille avec une extraordinaire méticulosité, je ne voulus point abuser de la patience de nos hôtes. Je leur demandai la permission, qu'ils m'accordèrent gracieusement, de me promener seul dans le château. Je partis donc à l'aventure. Au premier étage, je me retrouvai dans un assez vaste vestibule, sobrement meublé et très clair ; le soleil qui avait enfin chassé la pluie entrait à flots. Un peu fatigué, je m'assis sur une chaise au dossier raide, qui faisait face au portrait en pied d'une impératrice du XVIIe siècle particulièrement laide. Des pensées vagues, des images traversèrent mon esprit vagabond. Peu à peu, le calme descendit en moi jusqu'à ce que je sente que quelqu'un était entré dans la pièce. Je ne sais plus si j'avais les yeux fermés ou ouverts, en tout cas je pouvais dire que ce n'était ni le chevalier médiéval ni la dame Renaissance. C'était à n'en pas douter une femme, mais une femme de mon époque, de mon siècle. De plus, elle était immobilisée dans un fauteuil roulant. Tout de suite, je sentis la colère, la rage, la haine. Je restai le plus passif possible, à l'écoute. Je n'entendis point, puisque cela venait de l'intérieur de moi-même, mais je perçus des sortes d'idéogrammes qui se transformaient en mots silencieux. Ce n'était pas une voix inconnue qui parlait, mais un esprit étranger qui se substituait au mien pour m'inspirer ces mots, ces phrases. Mon cerveau ne fonctionnait plus selon ma volonté mais selon la volonté, la fréquence d'un autre qui s'en servait comme d'un transmetteur. Il y eut d'abord un flot d'injures dont je sus qu'elles s'adressaient à la vieille baronne. De son vivant, la paralytique l'avait hébergée, nourrie, entourée d'affection, et cette ingrate lui avait volé son mari de qui elle avait eu une fille. Mais elle ne l'emporterait pas au paradis, car bientôt ce château dont elle s'était emparée traîtreusement lui échapperait. Son gendre allait manger tout son argent et serait forcé de le vendre.

J'ignore combien de temps dura la tirade, mais aucun détail, aucun reproche, aucune accusation ne furent oubliés. Puis tout s'arrêta, et je me retrouvai seul, quelque peu perplexe. Je me tournai vers le soleil couchant dont les rayons orange flamboyaient sur le cuir de Cordoue qui couvrait les murs. Je savais pertinemment que je n'avais pas inventé ce que je venais d'entendre, et pourtant, je me méfiais de mon imagination. Bien mince est en effet la limite entre celle-ci et la perception d'une vérité lointaine, parfois inexplicable, en tout cas difficile à comprendre, et quasi impossible à vérifier. Cependant, ma curiosité avait été piquée, celle de mes hôtes aussi, qui me virent réapparaître après plus d'une heure d'absence. La baronne et son gendre me demandèrent avec insistance si j'avais rencontré le « Chevalier blanc » ou tout au moins la « Dame rouge ». Je bredouillai que je n'avais rien vu, rien senti, et je pris congé au plus tôt.

Sur le chemin du retour, je m'empressai d'interroger l'ami qui m'avait amené. Et voici ce qu'il m'apprit : juste après la Seconde Guerre mondiale, le seigneur du château avait épousé une princesse de haut lignage, que la poliomyélite condamna quelques années plus tard au fauteuil roulant. Pour la soigner et s'occuper d'elle, son mari dénicha la perle, en la personne d'une baronne désargentée qui pourrait aussi lui tenir compagnie. Ce qui n'aurait pas dû arriver arriva, le seigneur et la dame de compagnie se prirent de passion, au point qu'ils finirent par ne plus se gêner devant la malheureuse paralytique. Une fille naquit, elle épousa l'âpre tyran blond qui commandait épouse et belle-mère.

Mon involontaire expérience me fit me poser de nombreuses et brûlantes questions. Je savais d'avance que je n'obtiendrais pas les réponses. Renonçant à analyser, il me restait la possibilité et le désir de cultiver cette faculté.

Des fantômes, il en existe de tous âges, de tous pays, de toutes classes sociales ; ils peuvent se trouver partout : sur une route, dans un hôtel, un théâtre, un cinéma, dans un train, un avion ou, aussi bien, dans des bureaux ultramodernes.

Cependant, aujourd'hui, je choisis, par caprice, des femmes, celles auxquelles j'ai consacré des biographies m'ayant toujours porté chance. J'étais curieux d'en savoir plus sur la nature des fantômes, sur les causes qui réduisent certains morts à cet état. Je ne doutais pas que s'ils le voulaient, ils auraient beaucoup à m'apprendre. Et puis ces malheureux, dont il faudrait avoir plutôt pitié que peur, avaient peut-être besoin de nous, les vivants.

Je partis avec en tête mon histoire favorite de fantômes dont la réponse finale me paraissait un symbole applicable à chacun de nous.

Dans les années soixante, une Anglaise, très simple, très riche, très heureuse, très banale, rêvait pourtant chaque nuit de la même maison, un vaste château situé dans un paysage très singulier. Elle ne connaissait ni les lieux ni le château et se demandait pourquoi l'un et l'autre revenaient sans cesse dans ses rêves. Un jour, au cours d'un voyage d'amoureux qu'elle effectuait avec son mari en Écosse, que vit-elle au détour d'une route ? Le château de son obsession. Décidée à connaître le fin mot de l'énigme, elle tint à s'y rendre. Mais qu'allait-elle raconter à ses habitants ? Fort embarrassée, elle sonna à la porte du château. Un vieillard bourru, sauvage, visiblement un gardien, lui ouvrit. Elle demanda qui habitait le château. Le vieillard lui répondit que la famille de ses propriétaires l'avait déserté depuis cinquante ans et qu'il en était le seul occupant. La femme se sentait de plus en plus intriguée et de plus en plus gênée, parce que le gardien la fixait d'une façon bizarre, presque hostile. Elle ne savait pas qu'au cours de ses rondes, il rencontrait nuit après nuit le fantôme de la maison et que celui-ci avait exactement les mêmes traits, le même visage, la même stature que la visiteuse. Finalement, celle-ci prit son courage à deux mains, et posa la question qui lui brûlait les lèvres : « Ce château est-il hanté ? – Vous devriez le savoir, puisque c'est vous le fantôme. »

Cassandra

La Rocca di Soragna
Province de Parme,
Italie

Ce soir-là, Gian Franco, le fidèle majordome du prince de Soragna, est monté tôt se coucher dans la chambre qu'il occupe à l'étage du château La Rocca di Soragna, le roc de Soragna. Il n'a pas beaucoup de travail, car le prince et sa famille sont partis dans un château de Bourgogne hérité d'ancêtres français. Gian Franco n'a cependant pas le cœur à se distraire : il sait, en effet, que là-bas le prince est malade, très malade.

Il fait très chaud en cette nuit d'août 1983, et Gian Franco ne trouve pas le sommeil. Par la fenêtre ouverte sur le parc romantique entrent des bruits légers. Soudain, Gian Franco se redresse dans son lit. Il a entendu des portes, des fenêtres claquer. Il essaie de localiser le bruit, c'est au rez-de-chaussée dans la salle des stucs, celle qu'« elle » préférait. A présent, portes et fenêtres battent à l'unisson, dans les galeries du rez-de-chaussée, dans les loggias à fresques du premier étage, dans la salle du trône et dans le grand appartement aux énormes fauteuils surdorés. Gian Franco, paralysé par la peur, est incapable de bouger. C'est maintenant un véritable vacarme, on dirait que les meubles les plus lourds, les commodes marquetées, les cabinets ornementés, sont tirés, poussés, lancés contre les murs — à croire qu'une armée de soudards a enfoncé les portes du château et le pille de fond en comble. Puis, aussi soudainement que la tempête a commencé, elle s'arrête et le silence de la nuit reprend ses droits. Gian Franco se lève, s'habille à la hâte et dévale les escaliers. Dans le vaste office du rez-de-chaussée, il retrouve les autres membres du personnel, eux aussi mal réveillés, hagards, terrifiés. Gian Franco ouvre une bouteille de grappa et chacun à son tour en boit une large rasade. Tous connaissent la signification du phénomène. Ils attendent, ce n'est pas long : au bout de cinq minutes, le téléphone se met à sonner ; tous le regardent, immobiles, hypnotisés.

Gian Franco s'approche et soulève d'une main tremblante le récepteur. Une voix lointaine lui annonce que là-bas, en Bourgogne, le prince di Soragna vient de s'éteindre.

Vingt ans plus tôt, en 1963, Gian Franco avait assisté à semblable incident. Un oncle du prince étant tombé malade dans une propriété voisine de Soragna, la famille se préparait à aller lui rendre visite. Au moment où le prince et les siens montaient en voiture sous les arcades de la cour carrée, les portes et les fenêtres des salons du rez-de-chaussée s'étaient ouvertes puis fermées dans un fracas effrayant. « Ce n'est plus la peine d'y aller », avait déclaré le prince, et en effet, quelques minutes plus tard, la nouvelle parvint que l'oncle venait de mourir.

Ainsi, depuis des siècles, la mort de chaque membre de la famille est annoncée de la même façon, plus violemment encore lorsqu'il s'agit du chef de la dynastie, et tous de murmurer le prénom de ce sombre héraut : Cassandra.

En juin 1991, un reportage pour la télévision m'avait amené à Soragna. L'équipe et moi avions traversé dans une chaleur de four la plaine plate et surpeuplée qui s'étend au sud de Milan. Le village de Soragna pourrait bien prendre des allures de petite ville et nous avions commencé par nous plonger dans l'animation contagieuse du marché hebdomadaire.

A l'écart se dressait, hermétique et silencieux, le château, La Rocca, grande masse de brique carrée, sans aucun ornement, dont l'austérité me déçut.

A l'instar des demeures orientales, La Rocca cachait bien ses trésors : à peine entré, je fus ébloui. Les salles immenses parées de stucs baroques, les longues galeries ornées de paysages élégiaques, les loggias aux parois peintes de fresques lyriques, les appartements officiels foisonnant de dorures et de volutes, les meubles somptueux, les objets magnifiques, les portraits d'ancêtres dans leurs plus beaux atours, les salons voûtés décorés dans le plus pur maniérisme Renaissance, formaient un ensemble exceptionnel. Et, luxe suprême, une exquise fraîcheur baignait cette succession de salles, de couloirs et d'escaliers déserts.

Les récits d'amis qui avaient séjourné au château, ainsi que des articles de journaux italiens à sensation, m'avaient appris l'existence de Cassandra di Soragna, ancêtre des propriétaires actuels.

J'avais réussi à débusquer Gian Franco dans les ténébreuses offices où il se terrait, afin de lui faire raconter ses expériences. Certains membres du personnel s'étaient montrés plus réservés. Le jardinier ne niait pas complètement l'existence du fantôme de Cassandra mais il gardait des doutes. Le charpentier, lui, n'y croyait pas mais s'étonnait de certaines manifestations inexpliquées. Parmi les habitants du village, le curé restait très circonspect, tout en admettant qu'il se passait des choses étranges au château. Il me devint évident que tous les habitants de Soragna – avec des nuances diverses – étaient convaincus de l'existence du fantôme et en avaient peur. Cette Cassandra devait en effet avoir une terrible soif de vengeance pour se manifester si bruyamment à l'approche d'une mort dans la famille princière. Seule la princesse mère, Violetta di Soragna, refusait de se laisser impressionner. Je l'interviewai en dernier. On pouvait voir qu'elle avait été d'une beauté fascinante, et, à quatre-vingts ans passés, elle avait conservé un caractère indomptable. Je la trouvai dans le jardin où, condamnée par de multiples fractures à demeurer assise sur un banc, elle tirait les pigeons à la carabine.

Bien sûr qu'elle connaissait Cassandra. Peur ? N'ayant jamais eu peur de sa vie, de qui ou de quoi que ce soit, ce n'était pas un fantôme qui la ferait trembler. Mais tout de même, cohabiter avec un fantôme si agressif ? Les grands yeux mauves lourdement cernés de la princesse se mirent à briller et elle eut un sourire ironique : « J'ai passé un accord avec Cassandra. Elle ne m'ennuie pas, et je ne l'ennuie pas. Toutes les deux, nous nous entendons parfaitement. »

Cassandra continuait à m'intriguer. Aussi, trois ans plus tard, en décembre, je revins à Soragna. Le froid avait remplacé la chaleur, un froid bien plus pénétrant, bien plus intense à l'intérieur du château que dehors. Entretemps, la princesse mère était morte et c'était son fils que j'allais interroger.

Lorsque Justin, mon photographe, et moi nous arrivâmes au château, il n'était que quatre heures de l'après-midi mais déjà en cette grise journée, la lumière était tombée. Je frissonnais en traversant la cour vidée de ses orangers et de ses palmiers. Le factotum nous conduisit au bureau du prince. C'était une pièce haute de plafond et voûtée, à peine éclairée. Des cartes géographiques, des diplômes encadrés, quelques photos la décoraient sobrement. Le prince nous accueillit avec une cordialité qui contrastait avec l'austérité des lieux. Nous nous installâmes dans de confortables fauteuils de cuir un peu usés et il alluma une cigarette.

Diofebo Meli Lupi, prince di Soragna, descend d'une longue lignée. Sa

famille, connue depuis le haut Moyen Âge, réussit à constituer autour d'elle un État indépendant. Les Soragna battaient monnaie et rendaient justice et le château possède encore une salle du trône rouge et or. Dans les souterrains de La Rocca, on peut voir une pièce voûtée qui servait de salle de tortures. Du plafond pendent encore des chaînes dont on imagine aisément l'usage et, dans un coin, une niche aux fresques écaillées tenait lieu d'oratoire, sans doute pour permettre aux condamnés de faire leurs dernières prières. Aujourd'hui, c'est une cave où vieillit le bon vin. Les convulsions de la Renaissance permirent aux habiles marquis d'assurer leur domination ; puis au fil des siècles, l'ordre imposé par les grandes puissances et la décadence de l'Italie leur firent perdre leur indépendance et leur pouvoir, tandis qu'ils gagnaient titres et honneurs. L'actuel chef de cette maison est un homme bien de notre temps. Courtois, accueillant, la gentillesse même et la gaieté communicative, c'est un passionné de motos, un chasseur impénitent et un voyageur infatigable. Jamais il n'a eu peur dans son vaste château où désormais il vit seul. Et pourtant, non seulement il croit au fantôme de Cassandra, mais il a sur elle une opinion différente de celle des autres.

Voici une vingtaine d'années, alors qu'il faisait son service militaire, Diofebo se trouve en manœuvres avec ses camarades de promotion. Soudain, une force qu'il compare à une main musclée lui étreint l'épaule et l'oblige à se pencher en avant. A cet instant précis, une rafale de mitraillette tirée par un soldat inexpérimenté passe au-dessus de lui. Sans cette intervention étrange, il était mort.

Quelques années plus tard, Diofebo fonce à toute vitesse avec sa moto sur une des routes rectilignes de la vaste plaine qui s'étend autour de Soragna. Brusquement, quelque chose d'inexplicable force la machine à ralentir. Il presse l'accélérateur, sans succès : un obstacle invisible retient la moto. Au même instant, un tracteur surgit d'une haie et coupe la route. A coup sûr, Diofebo aurait dû s'écraser contre lui. Il est persuadé que dans ces deux circonstances, Cassandra lui a sauvé la vie.

Un soir d'octobre 1992, le prince est resté tard à lire, assis dans son fauteuil. Soudain, il remarque que le bras mobile de la lampe à pied bouge vers la droite. Il le remet en place. De nouveau, la lampe s'éloigne. Le bras bougera plusieurs fois avant que Diofebo, sûr de la présence de Cassandra, ne lui dise mentalement : « Si tu as un message pour moi, que ce bras fasse un tour complet sur lui-même. » Et Cassandra, par l'intermédiaire de la lampe, s'exécute. Le lendemain matin, la princesse mère, dont rien n'avait jusqu'alors entamé l'énergie ni la santé, ne se sent pas bien. Ce sera le début d'une maladie fatale. Les mois passent et son état empire. Un soir de janvier 1993, alors qu'il se trouve à son chevet, Diofebo voit les deux vantaux de l'ancienne et immense armoire s'ouvrir. Peut-être étaient-ils mal fermés, il se lève et va tourner la clef. A nouveau, les portes s'ouvrent. De nouveau, il se lève, vérifie que la serrure fonctionne bien et ferme à clef. Pour la troisième fois, l'armoire s'ouvre. Diofebo regarde sa montre, il est cinq heures du soir. Trois jours plus tard, sa mère meurt exactement à cette heure-là. Il est convaincu que Cassandra a voulu le prévenir afin que sa mère et lui s'y préparent.

Au fil du temps, ses liens avec son ancêtre Cassandra se sont renforcés, se sont réchauffés, au point qu'on peut se demander si ce n'est pas aujourd'hui la compagnie qu'il préfère. « Je sais qu'elle est attachée à cette maison comme je le suis moi-même. Cassandra est ma sœur, mon amie. »

Ainsi, au château di Soragna, où dans une atmosphère qui semble immuable l'horloge égrène les siècles, le descendant sympathique et bon vivant cohabite le plus affectueusement et même le plus amoureusement avec l'ancêtre invisible et pourtant terriblement présente.

Terrifiant messager de la mort ou fantôme protecteur épris de son descendant, qui était vraiment Cassandra ? Voulant en savoir davantage, j'allai consulter le secrétaire du prince di Soragna, qui était aussi le bibliothécaire et l'historien de la famille. Il officiait dans la vaste bibliothèque composée de plusieurs pièces emplies jusqu'au plafond de livres anciens, de volumes parcheminés et de papiers de famille.

Cassandra Marinoni vivait au XVIe siècle. Issue de la petite noblesse mais richissime, elle avait épousé l'homonyme du prince actuel, Diofebo di Soragna, lequel n'était à l'époque que marquis mais avec rang et privilèges de souverain.

Cassandra avait une sœur unique, Lucrezia, dont elle était très proche. Celle-ci avait épousé le comte Giulio di Anguissola, un joueur, un aventurier, un homme à femmes, qui ne s'était marié que pour les 20 800 000 écus d'or de sa femme qu'il espérait bien détourner à son profit. A toutes ses demandes d'argent, Lucrezia opposait des refus sans appel. De supplications humiliantes en scènes furieuses, ils en arrivèrent à la séparation. Anguissola s'en alla par monts et par vaux mener la vie de bâton de chaise qui lui convenait. Lucrezia resta dans son palais de Crémone et se rapprocha encore de sa sœur, lui rendant de fréquentes visites à Soragna. « Il en fut ainsi jusqu'à cette fatale journée du 18 juin 1573 », conclut le bibliothécaire.

Avant que je ne l'assaille de questions, il m'entraîna devant le portrait de Cassandra. Elle trônait dans la salle du billard, parmi d'autres ancêtres, superbe et hautaine. Son maintien rigide, ses traits anguleux, son nez très marqué n'enlevaient rien à sa beauté — une beauté terrible, tragique, qui inspirait le respect et non l'amour. Il me semblait qu'un éclair allait jaillir de son regard dédaigneux et que ses lèvres allaient proférer quelque silencieuse malédiction. Elle jouait avec un petit poignard qui aurait aussi bien pu lui servir à menacer. Peut-être étais-je tout simplement influencé par les récits de Gian Carlo. Cependant, malveillante ou bienveillante, elle avait eu sans aucun doute une écrasante personnalité. Il suffisait de la contempler pour en être convaincu. Laissant là le bibliothécaire, je pénétrai dans la salle attenante, dite salle d'Hercule, qui n'avait pas changé depuis l'époque de Cassandra. Des murs sortaient des jambes, des bras, des ailes d'anges en stuc. Des fresques aux couleurs vives grimpaient jusqu'à la voûte démesurément haute illustrant les exploits du héros mythologique. Hormis quelques sièges, la salle était vide, mais par les larges fenêtres, la pâle lumière d'hiver faisait luire le sol vernissé. Tout le monde m'avait affirmé que c'était dans cette salle que Cassandra se manifestait le plus bruyamment, le plus violemment. Tout en luttant contre le froid insidieux qui traversait mes vêtements, je pris place dans un fauteuil rigide du XVIe siècle. Je fermai les yeux et très vite se concrétisa à quelques mètres de moi, presque au centre de la salle, le bas rouge et or d'une robe à l'ancienne. Les détails se précisèrent l'un après l'autre, le devant de la robe brodée d'or, la courte traîne en velours, les larges manches. La silhouette de la femme se dessinait mais son visage restait dans la brume.

De mon vivant, je ne me jugeais pas particulièrement intéressante. Certes, j'étais très riche, mais l'argent faisait partie intégrante de mon univers et je ne m'en rendais pas vraiment compte. Je confiais le soin d'administrer ma fortune à des experts qui, d'ailleurs, s'en tiraient fort bien et point trop malhonnêtement. Je me savais intelligente et, à l'instar des femmes de mon époque, j'étais cultivée. J'avais du caractère, mon goût de l'autorité et une certaine inégalité d'humeur me faisaient passer pour difficile. Avec cela, j'ignorais la passion, je ne faisais rien de ma culture dont je ne profitais ni pour apprécier les belles choses ni pour collectionner. J'observais mes devoirs religieux, je rejetais le fanatisme mais je n'avais aucun élan profond vers Dieu. Peut-être avais-je un certain appétit pour les nourritures terrestres et, s'il avait fallu à tout prix me trouver un petit travers, c'eût été la gourmandise. En tout, partout, toujours, je restais mesurée, au point d'en paraître terne. Cela correspond peu au portrait de la salle voisine qui traduit une personnalité impressionnante. En fait, ce portrait a été exécuté après ma mort et je ne lui ressemble en rien. En réalité, je n'étais pas belle, je le savais et j'en étais piquée. Aussi, si je laisse apparaître mon fantôme, je n'en présente que la silhouette et non le visage.

 Ce n'était donc pas pour ma beauté que le marquis di Soragna m'avait épousée mais pour mon argent. Je n'avais pas eu besoin d'une grande perspicacité pour arriver à cette conclusion. Mon mari, en effet, était incapable de dissimuler, et il exprima clairement sa satisfaction d'avoir convolé avec une fortune. Pourtant, une sorte de respect, une estime réciproque s'établit entre nous. Bien que n'étant pas très savante en politique, je sus le conseiller judicieusement. En effet, si Soragna régnait sur son territoire, il n'en était pas moins un souverain de poche, en butte aux convoitises de ses puissants voisins, les Gonzague de Mantoue, les Farnèse de Parme et autres requins. Il devait sans cesse prêter son épée à l'un ou à l'autre, intriguer pour garder son indépendance, et surtout tâcher de miser sur le gagnant. Dans plusieurs circonstances périlleuses, mes avis se révélèrent judicieux et il m'en fut reconnaissant. Il respectait mon indépendance comme moi-même je respectais la sienne.

Je me doutais bien qu'il était infidèle mais je ne voulais pas en savoir plus. Je lui supposais des aventures sans lendemain avec des femmes de basse condition, des villageoises, des paysannes de la région. Quant à moi, les hommes ne m'intéressaient pas et je ne les intéressais pas. Bien sûr, j'aimais mes enfants et ils m'étaient attachés, mais chez moi la fibre maternelle demeura faible.

Je ne m'étais pas attachée à La Rocca di Soragna, qui était le château de mon mari, mais je m'efforçais de le bien tenir. Les voyages ne m'attiraient pas mais je tenais à me rendre régulièrement dans nos nombreuses propriétés. Cette indifférence fondamentale n'était donc pas passive, et les obligations de ma condition remplissaient suffisamment mon existence.

Et puis j'avais ma sœur. Si quelqu'un pouvait me tirer de mon indifférence, c'était bien Lucrezia. Moins intelligente que moi, mais beaucoup plus jolie, elle avait été épousée elle aussi pour son argent, par cette fripouille d'Anguissola. Il avait pourtant mieux dissimulé que Soragna, car il était beau parleur et possédait toutes les ruses pour tromper son monde.

Bien fait, séduisant, il pouvait déployer un charme infini tout comme il pouvait se montrer odieux à la moindre contrariété. Il dépensait beaucoup. Ce n'était pas pour des femmes car, s'il avait de nombreuses maîtresses, c'est lui qui profitait de leur argent. Il ne s'adonnait pas non plus aux jeux de hasard. S'il avait sans cesse besoin d'argent, c'était qu'il se croyait un esprit d'entreprise. Il se lançait dans des affaires qui périclitaient les unes après les autres. En Italie, les nobles se montraient ouvertement intéressés par l'argent et par les moyens d'en gagner. Mon père, qui était de petite noblesse, passa sa vie à cela. Beaucoup de mariages avaient lieu entre des familles riches et roturières et des familles nobles.

En affaires, Anguissola aimait le risque. Et Lucrezia, qui voyait fondre sa fortune, refusait de lui avancer les sommes qu'il réclamait. Alors il devenait terrible avec elle, odieux, menaçant. Plus d'une fois il me fit peur. Lucrezia, elle, enrageait trop pour trembler. Peu à peu, elle en était venue à le détester au point qu'elle accueillit avec soulagement leur séparation.

Mais voilà qu'un beau jour il tenta une autre méthode et sollicita une entrevue de réconciliation. Lucrezia crut qu'il s'était amendé, elle me répétait : « Tu vois, j'ai eu raison de lui tenir la dragée haute. Regarde, maintenant c'est lui qui vient me manger dans la main. »

Quant à moi, la soudaine gentillesse d'Anguissola me paraissait plutôt inquiétante. « Méfie-toi, Lucrezia, c'est un homme dissimulé. Dieu seul sait ce qu'il peut avoir en tête. – Tu te trompes, je le connais mieux que toi. Il a suffi que je ferme les cordons de la bourse pour qu'il courbe l'échine. – Méfie-toi de lui, Lucrezia. »

Naturellement, elle me pria d'assister à l'entretien. J'acceptai de venir à Crémone, car je savais qu'elle avait besoin de moi. Elle était rassurée par la demande de réconciliation d'Anguissola mais elle appréhendait de le revoir. Elle tenait à ma présence pour la soutenir. Je pense aussi qu'Anguissola suggéra à ma sœur de m'inviter. Il souhaitait que je sois une sorte d'arbitre entre eux deux. J'arrivai chez Lucrezia avant Anguissola. On ne savait pas exactement quand il serait là. Je dois dire que son absence me soulagea.

C'était après le déjeuner et il faisait chaud. Lucrezia et moi nous nous étions retirées dans une pièce fraîche qu'elle avait fait aménager pour l'été. Après nous être délacées, nous avions revêtu des tenues légères et nous étions allongées. Dans mon demi-sommeil, j'eus soudain une impression étrange. Le silence qui régnait me parut presque surnaturel. Certes, c'était l'heure de la sieste, tout le monde se reposait, même le personnel, accablé de chaleur, mais qu'on ne perçoive plus ni le grésillement des grillons, ni le bourdonnement des insectes, ni le chant des oiseaux, voilà qui était anormal. Et puis même si tout est tranquille, une maison respire. A ce moment-là, je compris que je n'entendais plus la maison respirer. Je fis part de mon impression à Lucrezia ; elle haussa les épaules : « Laisse-moi, j'ai envie de dormir. » Alors, je les ai entendus. J'ai perçu les frôlements, les pas étouffés : plusieurs personnes étaient en train de gravir l'escalier. J'ai d'abord pensé que les femmes de chambre venaient voir si nous n'avions besoin de rien, mais ces pas étaient lourds, nombreux, et précautionneux. Ils s'arrêtèrent, je devinai des présences derrière la porte, alors la terreur me paralysa, je ne pouvais ni parler ni bouger. Lucrezia, elle, n'éprouvait aucune peur ; elle aussi avait entendu les pas et elle était juste curieuse de savoir qui pouvait venir à cette heure. Brusquement, la porte a volé en éclats. Nous avons crié. Ils se sont précipités sur nous, les uns nous maintenaient pendant que les autres nous poignardaient.

Il y eut du sang, il y eut des cris, j'entendais les hurlements de Lucrezia. Tout se passa très vite, quelques minutes à peine, mais des minutes interminables, pendant lesquelles souvenirs, sentiments, sensations se succédaient à une vitesse incroyable. On me tuait à coups de poignard mais je ne me rappelle pas avoir eu mal, c'était comme si je m'étais dédoublée et que les assassins se fussent acharnés sur quelqu'un d'autre. Bien que ce ne fût plus nécessaire, ils continuaient à frapper par pur plaisir. Ce n'était pas seulement l'appât du gain qui motivait ces tueurs professionnels, c'était surtout le goût du sang. Aussi leurs poignards fouillaient-ils encore nos corps inertes. A ce moment, je n'entends plus rien, ni les cris de Lucrezia, ni le souffle rauque et les grognements de satisfaction des assassins. Je n'entends plus rien mais je les vois qui lèvent et baissent leurs couteaux sanglants sur les deux cadavres. Je me trouve hors de mon propre corps, je suis déjà morte.

A l'évidence c'était un complot. Anguissola avait de pressants besoins d'argent et, Lucrezia refusant de lui en donner, il ne lui restait plus qu'à la tuer pour hériter d'elle. Depuis des années, il préparait son coup. Recruter des tueurs à gages était un jeu d'enfant, mais s'assurer sinon de la complicité du moins de la neutralité des autorités nécessitait du temps et de grosses sommes. Anguissola s'était donc acheté des alliés mais, surtout, il avait rendu au souverain des services qui le rendaient intouchable. Il était intervenu dans des affaires suffisamment louches et ténébreuses pour que sa discrétion n'ait pas de prix. Bref, Anguissola avait assez payé de sa personne pour être sûr que le souverain fermerait les yeux. La seule qui aurait pu le gêner, c'était moi. Lucrezia était l'unique personne pour qui j'aie eu un attachement profond. Anguissola le savait et connaissait aussi ma méfiance vis-à-vis de lui. Moi restant vivante, je l'aurais aussitôt soupçonné du meurtre et n'aurais eu de cesse de le voir arrêté, jugé, exécuté. Il fallait donc qu'il se débarrasse de moi en même temps que de Lucrezia. Quant à mon mari, Anguissola le savait bien trop prudent pour entrer dans le complot : lui en aurait-il parlé clairement qu'il aurait poussé les hauts cris et peut-être tout dévoilé. Mais Anguissola savait aussi que Soragna aimait l'argent. Or si je mourais, il héritait d'une fortune immense. Anguissola paria que l'appât du gain lui fermerait la bouche. D'une façon très indirecte, il fit parvenir jusqu'à lui une vague rumeur. Le marquis di Soragna n'ignorait pas que son beau-frère était aux abois, l'idée lui vint qu'Anguissola allait tenter quelque chose contre Lucrezia et très probablement contre moi aussi. L'offre d'Anguissola de se réconcilier avec sa femme, l'invitation qui me fut transmise de venir à Crémone y assister, ne devaient lui laisser aucun doute. Anguissola comprit donc que Soragna savait en son for intérieur ce qui se tramait et qu'il ne bougerait pas. Mon beau-frère était un diable, mon mari un homme intéressé.

Devenu veuf, Soragna me fit des funérailles magnifiques, tant pour montrer à l'opinion publique la profondeur de son chagrin que pour la convaincre de la grandeur de son rang. Le catafalque était presque aussi haut que l'église et sur ses marches s'étageaient une forêt de cierges. Il avait fait mettre des couronnes, marques de souveraineté, partout où il pouvait y en avoir. Accompagné d'une musique céleste, un cortège d'évêques vêtus d'or officiaient dans des nuages d'encens. Mon mari n'alla pas jusqu'à pleurer, mais tout au long de la cérémonie il garda une expression sévère et accablée. Je dois avouer que cette comédie me fit beaucoup rire et aussi qu'elle me dégoûta.

Anguissola fut immédiatement désigné comme le commanditaire de l'assassinat, mais il avait disparu. Les magistrats lancèrent des mandats, alertèrent les autorités des États voisins, il demeurait introuvable — plus exactement personne ne se souciait de le débusquer là où il se trouvait, si bien que, après plusieurs années, il réapparut en public sans être inquiété. Entre-temps, il avait hérité de Lucrezia et jouissait de sa fortune.

Le marquis di Soragna, lui, avait fait montre d'une violente indignation et exigé que l'on fît justice, tout en sachant par-devers lui qu'il n'en serait rien. Le souverain lui-même, les autorités, les magistrats, savaient qu'il n'insisterait pas. Il avait affirmé haut et fort qu'il ne pensait qu'au châtiment de l'assassin de sa femme bien-aimée ; on se rassura donc sur son honnêteté. Ce n'était pas tant acheter le repos de sa conscience que donner tous les gages possibles à la bienséance.

Juste avant, pendant ou après ma mort, j'avais eu l'impression de tomber dans un puits sans fond, irrésistiblement attirée vers le bas. Et soudain, je m'arrêtai. J'étais entourée de lumière, j'étais dans la lumière. Il y avait mon cadavre percé de coups et couvert de sang et de ce cadavre sortait mon âme qui se confondait avec la lumière. Je ne suis pas capable d'en dire plus si ce n'est qu'une partie de moi-même resta en arrière, celle qu'on appelle fantôme, parce que au moment de la mort j'avais connu la peur, la violence, la souffrance, la rage aussi et la haine. Cependant, une mort violente ne suffit pas pour devenir fantôme. Beaucoup ont abordé la mort, même violente, d'une autre façon que moi, aussi leur âme est-elle partie vers la lumière. Certains, qui n'ont pas connu une mort tragique, mais qui ne l'ont pas abordée comme il fallait, sont restés comme moi en arrière. C'est donc la façon dont nous effectuons le passage – mot bien plus approprié que mort – qui détermine si nous allons tout de suite vers la lumière ou pas.

Fantôme, je décidai de me venger, mais pas d'Anguissola. Certes, cette brute nous avait fait assassiner, toutefois il avait fini misérablement, ayant épuisé la fortune qu'il avait conquise grâce à son crime. Le destin s'était chargé ainsi de nous venger. C'était surtout à mon mari que j'en voulais. Sa façon d'avoir feint d'ignorer une machination qu'il connaissait et l'hypocrisie dont il avait fait preuve après ma mort me révoltaient. Aussi ne hantais-je pas le palais de Crémone où j'avais été assassinée, mais bien La Rocca di Soragna et son propriétaire. Très vite je commençai à me manifester. Je terrori-

sais les courtisans, les domestiques, les employés, et même mes enfants. Tout le monde, sauf mon mari. J'avais beau me manifester à lui de la façon la plus impressionnante, il s'en moquait éperdument. Je cédai la première. Faute de parvenir à l'effrayer, j'y renonçai. Soragna mourut tranquillement dans son lit. Il disparaissait couvert d'honneurs, bardé de titres, fort riche, entouré d'une famille aimante ; j'en fus terriblement irritée.

Je décidai alors de me venger sur ses descendants qui se montrèrent moins indifférents que lui à mes manifestations. Génération après génération, j'ai continué à les terroriser. Puis, peu à peu, une évolution se produisit et je commençai à m'attacher à eux. De mon vivant, j'avais peu apprécié La Rocca di Soragna. Je m'y étais sentie quelque peu étrangère. J'appris à aimer le château en le hantant. Bien sûr, je continue à annoncer avec fracas la mort des membres de la famille, mais en fait c'est pour qu'ils puissent s'y préparer et ne subissent pas le sort qui est le mien. Certes, je fais peur, mais je contribue ainsi à la renommée du château. Grâce à moi, il est de plus en plus connu et attire un nombre grandissant de visiteurs, source non négligeable de revenus. En définitive, je rends un fier service.

En ce qui concerne Diofebo, celui d'aujourd'hui, il est vrai que je lui ai sauvé la vie plusieurs fois et il le sait. Ma soif de vengeance est bel et bien éteinte et mon descendant a raison de croire que je l'aime, que je le protège et que je ne veux que son bien.

Il y a tant d'âmes errantes comme moi ! Je suis seule, et nous sommes des millions et des millions, chacune seule. Il est impossible de décrire cet état car les vivants n'ont pas la perception, la connaissance, l'ouverture nécessaires pour comprendre. Pour l'instant, je ne peux me réincarner ; l'évolution, la progression de mon âme se sont arrêtées. J'attends. Cette attente ne peut en aucun cas être assimilée à un châtiment. Châtiment, punition, sont des termes inconnus de notre univers, celui de la réalité invisible. Ayant abordé le passage de façon défectueuse, il me manque quelque chose pour atteindre la lumière, une coloration, une partie de l'âme. Je dois l'acquérir, au cours de cette attente. Comment, quand rejoindrai-je la lumière ?

Les amours de Lady C.

Doneraile Court
Comté de Cork,
Irlande

Une nuit d'août 1887, un fermier de Sycamore se rendait à la ville de Mallow. L'heure était avancée et l'homme, confiant en la jument qui tirait sa charrette, n'était pas sans laisser traîner les rênes et somnoler quelque peu. Il se rendit à peine compte qu'il longeait le mur du parc de Doneraile. Les branches des arbres couvraient la route étroite et rendaient l'obscurité épaisse. Le fermier, qui avait plusieurs fois fait ce chemin à cette heure, n'éprouvait aucune appréhension et, d'ailleurs, la fatigue anesthésiait sa vigilance. Soudain il entendit, venu du bas-côté, un froissement puis un craquement de branches et, avant qu'il n'ait eu le temps de réagir, il vit une énorme bête jaillir des fourrés, traverser la chaussée et disparaître. La lumière de la lune qui perçait entre les arbres lui avait permis de distinguer un chien jaune, d'une taille gigantesque. La surprise, la peur le paralysèrent. Sa jument, pourtant, semblait n'avoir rien senti et continuait à trottiner paisiblement. C'est ainsi que le fermier arriva à la hauteur du portail dit « du Canal ». A ce moment précis, il vit en sortir un noir carrosse traîné par quatre chevaux. A sa profonde horreur, il remarqua que ceux-ci étaient sans tête. Roulant à toute vitesse sans faire le moindre bruit, la voiture prit la route de Doneraile et disparut. Pétrifié, le fermier mit longtemps avant de recouvrer ses esprits. Sa charrette s'étant arrêtée, il fouetta sa jument afin de quitter les lieux au plus vite. Mais le cheval refusa de bouger. Le fermier descendit pour l'encourager et s'aperçut alors que l'animal était couvert d'écume, comme s'il avait fourni un effort prodigieux. Rien ne put le décider à reprendre son chemin et le fermier, presque aussi défaillant que sa jument, dut retourner chez lui à pied. Le lendemain, il apprit que là-bas, au château, le maître des lieux, le quatrième vicomte Doneraile, était mort dans la nuit.

L'Irlande peut être considérée comme la véritable terre mère des fantômes. Non qu'ils y soient plus nombreux qu'ailleurs, mais au moins leur accorde-t-on droit d'existence. A tel point qu'ils constituent la conversation nationale des Irlandais au même titre que, chez d'autres peuples, le football ou la politique. Du petit déjeuner au souper, ils sont évoqués avec le même entrain. On en voit partout, de tout âge, de tout sexe, de toute catégorie. Encore n'y aurait-il qu'eux... Mais les champs et surtout les berges des rivières hébergent des créatures magiques, comme les leprechaun, ces lutins si prodigues en farces dévastatrices. Les arbres abritent des esprits surnaturels et certaines herbes possèdent aussi les leurs, des esprits qu'il faut d'ailleurs se garder de piétiner sous peine de mourir de faim. Ces créatures, vu leur nombre et leur variété, finissent par semer la confusion. Aussi mon ami John Nicolas Colclough, parfait représentant de la fantaisie, de l'humour, de la culture et de l'hospitalité de son pays, a eu la judicieuse idée de recenser les fantômes irlandais dans un grand registre qui ne le quitte pas. Grâce à lui, la chasse aux fantômes devient aussi précise qu'un safari africain.

Ce jour-là, je me sentais mal inspiré. Toutes ces dames, « Blanches », « Bleues », « Vertes », « Rouges » ou « Noires », ressuscitées par la légende, tous ces chevaliers en armure – certains, même, unijambistes, manchots ou borgnes – me tentaient peu. De guerre lasse, John Nicolas suggéra d'aller à Doneraile Court. Tant de personnages de l'au-delà y résidaient, disait-il, que je n'aurais qu'à faire mon choix. Voilà pourquoi, en ce doux matin de janvier, nous partîmes en voiture sur les routes étroites du comté de Cork. Un paysage aimable défilait, peuplé de villages assoupis et de petites villes animées. Le passé, omniprésent, se rappelait à notre mémoire par des abbayes en ruine, de vieux ponts en dos d'âne et des donjons émergeant de bosquets. Les arbres, isolés ou groupés, immenses et tordus, semblaient tous appartenir à une forêt enchantée.

A Doneraile, de ravissants portails et un parc romantique précèdent le plus exquis manoir. Il date du XVIIIe siècle, qui lui a donné ses formes élégantes et ses arrondis ; ses grandes baies attirent de partout la lumière.

Arthur Montgomery nous reçut dans son salon-bibliothèque au premier étage, la seule pièce chauffée du château. Il n'en est pas le propriétaire mais le conservateur. En effet, les derniers héritiers de la lignée Doneraile se sont éteints en 1967 et, pendant presque dix ans, le château resta à l'abandon. Il était moribond lorsqu'il fut sauvé par la Georgian Society, et plus particulièrement par son président d'alors, Desmond Guiness, qui consacre toute son énergie à rescaper d'anciennes demeures ravagées par le temps. Enfant, Arthur Montgomery venait souvent au château, ses parents voisinant et même cousinant avec les Doneraile.

Dès son plus jeune âge, il voua un amour inconditionnel à cette ravissante demeure. Et voilà que le hasard lui permit non seulement de l'occuper mais de lui rendre vie, tâche à laquelle il s'attaqua avec autant de dévouement que d'enthousiasme. Son ardeur à nous faire partager sa passion nous fit oublier le froid. Nous traversâmes vestibules et salons dont le décor délicat émergeait progressivement des déprédations. Déjà repeints en couleurs vives, ils restaient encore vides de meubles et nos pas résonnèrent sur les parquets nus. Visiter un château irlandais, c'est avant tout voir défiler la chronique de ses fantômes.

Les Saint Leger qui bâtirent Doneraile étaient des Normands venus en Angleterre avec Guillaume le Conquérant, laissant derrière eux en France une branche aînée qui prospère toujours. Plus tard, encouragés par les Tudors qui tentaient de coloniser sournoisement l'Irlande, ils partirent y chercher fortune. Ils la trouvèrent ainsi que des pairies, des honneurs, des postes prestigieux. Mais les sortilèges de l'Irlande agirent sur eux et transformèrent ces solides barons en une succession de seigneurs bizarres, redoutables ou tragiques.

Arthur Montgomery nous fit pénétrer au rez-de-chaussée dans une pièce d'angle sombrement et élégamment panelée qui, au XVIIIe siècle, servait de bureau au Saint Leger devenu le premier vicomte Doneraile grâce au titre attaché à sa propriété. Un après-midi, sa fille y pénétra dans l'intention de lire en paix. Elle s'installa dans l'embrasure d'une fenêtre que nous montra Arthur Montgomery, abritée des intrusions par d'épais rideaux. Puis elle se plongea dans la lecture de son roman. Il ne devait pas être passionnant car bientôt la jeune fille s'assoupit. Un bruit de voix l'éveilla. Des hommes entouraient son père et discutaient avec animation. Elle comprit alors qu'ils tenaient une réunion de leur loge maçonnique. Terrifiée à l'idée d'être découverte, elle se pétrifia. La séance s'acheva enfin, les hommes se retirèrent et la jeune fille respira. Pas pour longtemps, hélas ! car brusquement les rideaux derrière lesquels elle se cachait furent tirés. C'était le valet de son père venu remettre la pièce en ordre. Stupéfaits, ils se dévisagèrent. Puis le valet, plus fidèle à la loge qu'à ses maîtres, courut dénoncer l'intruse. Elle fut aussitôt enfermée pendant que les membres de la loge, à nouveau réunis, discutaient de son sort. Il ne faisait d'ailleurs pas de doute que le seul châtiment réservé à ceux qui avaient surpris les secrets de la Maçonnerie était la mort immédiate. Le père, accablé, tenta de fléchir ses frères maçons. Sans succès, car nul ne pouvait transgresser la règle inflexible. L'innocente jeune fille, coupable d'un moment de distraction, allait-elle être poignardée, décapitée, pendue, fusillée ? Un éclair traversa alors l'esprit du père aux abois. Il y avait un autre moyen de réduire au silence l'indiscrète : lui faire prêter le serment des maçons et, donc, faire d'elle un membre de la loge. Mais aucune femme n'avait jamais été jusqu'alors reçue au sein de la maçonnerie. Cependant, les membres de la loge, dépourvus de cruauté, acceptèrent cette audacieuse solution. On sortit la jeune fille du cabinet où elle avait été retenue et, alors que tremblante, elle redoutait le pire, on lui enjoignit de prêter serment d'allégeance et de jurer de ne jamais rien révéler, sous peine de mort. Comprenant à quoi elle échappait, ce fut avec l'énergie du désespoir qu'elle prononça la terrible promesse qui engageait sa vie. Ainsi, cette demoiselle Saint Leger devint-elle la première femme franc-maçonne d'Irlande.

Le second vicomte Doneraile se montra un tyran impétueux doublé d'un chasseur enragé. Un jour, il poursuivit un cerf jusque dans la ferme où celui-ci s'était réfugié. Il exigea qu'on lui livre incontinent l'animal afin de poursuivre sa partie de chasse, mais le fermier s'y refusa obstinément. Lord Doneraile fut alors pris d'un accès de fureur si démoniaque et lança tant de malédictions et de blasphèmes qu'il fut condamné à poursuivre son cerf pour l'éternité. A preuve, une nuit de pleine lune il y a longtemps, un des gardiens du parc faisait sa ronde pour vérifier que les grilles étaient bien fermées. Soudain, il entendit au loin les aboiements d'une meute. Il s'arrêta, tâcha de repérer d'où venait le son. Les aboiements se rapprochaient ; ils semblaient provenir du parc. Or, le garde savait qu'il n'y avait aucun chien de chasse à l'intérieur des murs. Son fils, à ses côtés, entendait comme lui les aboiements de plus en plus forts, de plus en plus nets. Leur maître était absent du château et personne n'avait le droit de pénétrer dans le domaine sans permission. Le garde pensa un instant que des chiens de chasse enfermés du côté du canal, à quelques kilomètres de là, s'étaient échappés. Cependant, toutes les grilles étaient closes, et les chiens n'auraient eu aucun moyen de pénétrer dans le parc. Père et fils, incapables de bouger, écoutèrent la meute désormais toute proche. Brusquement, de dessous le couvert des arbres, l'équipage apparut, courant à une prodigieuse vitesse, parfaitement visible à la lumière de la lune. Derrière suivait au grand galop un cavalier coiffé d'un large chapeau qui dissimulait ses traits. Au même moment, les deux hommes se rendirent compte que, bien qu'ils entendissent parfaitement les hurlements des chiens, ceux-ci ne faisaient aucun bruit, non plus que les sabots des chevaux martelant le sol. La meute et son cavalier passèrent ainsi à quelques mètres d'eux, puis dispa-

rurent au tournant de l'allée. Le lendemain matin, on ne trouva trace ni des chiens ni des chevaux dans le parc et le mystère demeura entier. Il fallut bien admettre alors que le second vicomte n'avait pas tout à fait quitté Doneraile.

Le cinquième vicomte se vit accuser lui aussi de hanter sa demeure à cause de son horrible mort. Arthur Montgomery me proposa de me mener dans la chambre où se déroula le drame. Nous enfilâmes nos manteaux, car en Irlande on se couvre non pas pour sortir mais pour entrer dans les maisons, nous empruntâmes l'admirable escalier à révolution aux somptueux stucs dans le plus pur style Adam, et atteignîmes le second étage qui n'avait pas encore été restauré. Les parquets étaient branlants, les portes grinçaient et les briques saillaient des parois dépouillées de leurs boiseries. Nous devions nous tenir en équilibre sur des planches étroites pour pénétrer dans la chambre hantée. Alors Montgomery se mit à raconter :

A la fin du XIXe siècle, lord Doneraile se promenant dans son parc fut mordu par un renard, ainsi que le valet qui l'accompagnait. Le médecin du village leur conseilla de se dépêcher d'aller à Paris se faire traiter par Pasteur. Le châtelain envoya son valet en France, mais se considéra lui-même au-dessus de la médecine et des médecins et resta chez lui. Ce fut un mauvais choix. Car si le valet vécut quasi centenaire, lord Doneraile, lui, fut atteint de la rage. Il fallut l'enfermer tout en haut du château, à l'abri des regards. Mais bientôt les crises devinrent si violentes qu'on fut obligé de l'enchaîner à son lit. C'est ainsi qu'il mourut, bavant et hurlant, se débattant contre ces liens de fer qui pénétraient cruellement dans sa chair.

Je regardai autour de moi. La chambre du prisonnier éclairée par trois grandes fenêtres donnait sur la campagne et, malgré la pluie qui persistait à tomber, respirait la gaieté. Rien de sinistre en ces lieux, bien au contraire. Arthur Montgomery partageait la même impression que moi car il ne croyait pas en l'existence de ce fantôme : « Lorsque j'ai pris en main le château, j'ai trouvé dans cette pièce des chaînes, mais il s'agissait de chaînes de charrettes que quelqu'un avait déposées là. Un visiteur dut les voir et les associa à la mort de lord Doneraile. C'est ainsi que naquit la légende. »

Ce cinquième vicomte de Doneraile ne laissait qu'une fille, la très belle Claire Saint Leger. Elle épousa lord Casteltown et lui amena le château de Doneraile en dot.

Ce grand seigneur avait la particularité d'être à la fois chef d'un clan irlandais, celui des Fitz Patrick, et lord anglais. Il fut de plus intronisé druide. Eaton, Oxford, les Life Guards, il suivit la plus belle filière de l'establishment d'alors. Résidant souvent à Londres, il était devenu un intime du prince de Galles, futur Édouard VII, pour lequel il organisait des parties de chasse – leur passion commune – et peut-être aussi quelques parties fines. Il dispensait si bien ces plaisirs au futur souverain que celui-ci lui accorda le grand cordon de l'ordre de Saint-Patrick. Puis vint la sinistre guerre d'indépendance qui ensanglanta l'Irlande dans les années vingt. Un jour, un commando de l'IRA investit son château de Granston, à la recherche de fusils de chasse. Lord Casteltown reçut les terroristes le plus aimablement du monde, s'adressa à eux en gaélique, ce qui les médusa, et leur fit faire le tour du propriétaire. A la fin, il leur proposa de le suivre dans la bibliothèque pour boire un cognac et jouer au bridge. Les terroristes s'excusèrent : « Nos masques pourraient alarmer ces dames », et ils se retirèrent discrètement.

Lord Casteltown comprit cependant que ses fusils ne seraient pas longtemps à l'abri de l'IRA et que son sport favori était dangereusement menacé. Il se rappela alors que son jardinier était un des membres les plus féroces de l'insurrection locale. Il prit donc les devants et alla lui remettre ses armes. Pendant la semaine, le jardinier les utilisait pour tirer sur les soldats et les policiers anglais tandis que le week-end, lord Casteltown les reprenait pour mitrailler le canard... !

Dès le premier jour de leur union, lord Casteltown aima sa femme d'un amour passionné qui ne se démentit pas. Claire Saint Leger avait quinze ans de moins que lui, mais ce fut pourtant elle qui mourut la première. Son mari ne s'en consola jamais. Il allait chaque jour déposer des bonbons sur sa tombe, que les gamins du village volaient régulièrement, le persuadant ainsi que son épouse défunte acceptait ses douceurs. Fort de cette idée, il construisit au-dessus de la tombe un toit encore visible aujourd'hui, afin que la pluie ne la mouille pas. De même, il glissait des petits billets d'amour dans les livres de la bibliothèque espérant qu'elle, ou plutôt son fantôme, les lirait. Il finit par périr de chagrin. Dès lors, rien d'étonnant à ce qu'il hantât les lieux où sa bien-aimée était morte. De très nombreux visiteurs virent son fantôme et le reconnurent sans hésiter.

Lorsque Arthur Montgomery, alors adulte, retourna à Doneraile en tant que son conservateur, il trouva la maison dans un état épouvantable. Tant bien que mal, il s'installa dans deux pièces au premier étage et s'attela à la tâche impossible de sauver le château. Une nuit, il entendit, venus de la salle à manger située juste en dessous, des pas lourds qui allaient et venaient. Ce descendant d'une fière lignée n'ayant peur de rien, il se précipita dans la pièce. Elle était déserte. Arthur Montgomery ne s'en étonna pas. Depuis l'enfance, il entendait raconter sur Doneraile des histoires de fantômes autrement terrifiantes. Cette manifestation se répéta chaque soir. Gagné par la curiosité, il eut alors envie de connaître l'identité du fantôme et la raison de ses allées et venues nocturnes. A qui s'adresser sinon à son amie Géraldine Saint Leger ? Cette ultime descendante de la famille était une dame noble d'allure et de cœur, épitomé de la désinvolture et de la poésie de l'aristocratie irlandaise. Bien que le château n'appartînt plus aux siens,

elle lui gardait un amour atavique et continuait à venir s'y promener. Inter-
rogée par Arthur Montgomery, elle se rappela que son oncle lord
Casteltown, devenu veuf, aimait se tenir dans cette même salle à manger et
y passer de longues heures assis, solitaire, perdu dans de sombres pensées
qui le ramenaient sans cesse à sa femme. Comme presque tout le château
avait été vidé de ses meubles, Géraldine Saint Leger donna ce judicieux
conseil : « Remettez donc un fauteuil devant la cheminée, et il s'arrêtera
de marcher. » Arthur Montgomery s'empressa de descendre un fauteuil du

grenier et l'installa au coin de l'âtre. Depuis ce jour, il n'entendit plus jamais le défunt lord Casteltown arpenter la salle à manger.

Une fois, cependant, les fantômes de Doneraile réservèrent une surprise à leur ultime descendante qui, pourtant, croyait déjà tout connaître d'eux.

Géraldine errait un après-midi dans le château qu'elle connaissait fort bien et ses pas la conduisirent dans la chambre de sa tante, feu lady Casteltown. Il y subsistait quelques meubles dont un très vaste lit à baldaquin. Accrochée à la corniche d'une vieille armoire, une magnifique robe en soie grise à volants noirs était suspendue à un cintre. Elle paraissait avoir été taillée pour une femme mince et grande. Un peu plus loin, une coiffeuse en marqueterie portait dans son châssis d'acajou un miroir oval. Presque par habitude, Géraldine se pencha vers le miroir pour se recoiffer. Il lui sembla alors couvert d'une buée collée à la face non pas externe mais interne de la glace. Lentement la buée se dilua, comme effacée par une main invisible. Mais au lieu de ses propres traits, la visiteuse eut la surprise de voir apparaître le visage de lady Casteltown. La vision dura assez longtemps pour qu'elle reconnaisse les grands yeux scintillants, la bouche charnue, le teint éblouissant, le chignon blond et le maintien hautain de sa tante. Stupéfaite, sans être toutefois trop effrayée, Géraldine ferma les yeux. Lorsqu'elle les rouvrit, elle ne distingua plus que son propre reflet dans le miroir.

En apprenant cette aventure, je fus de plus en plus intrigué par le personnage de Claire Saint Leger. Dans les récits et les correspondances, elle paraissait effacée, vivant dans le sillage de son mari. Et pourtant elle avait possédé une beauté majestueuse, une personnalité flamboyante et un caractère à toute épreuve, ainsi qu'en témoignait son portrait accroché dans le vestibule de Doneraile. Malgré ces atouts, on possédait sur elle fort peu d'informations, comme si elle avait voulu de son vivant brouiller les pistes. De vagues rumeurs circulaient cependant. Que faisait-elle pendant que son mari partait de longs mois chasser au Canada et qu'elle demeurait, solitaire, à Granstone ou à Doneraile ? Récemment, on avait retrouvé des lettres plutôt sentimentales que lui avait adressées le juge Oliver Wendell Holmes, l'un des plus célèbres hommes de loi des États-Unis de l'époque. Elle avait quarante-trois ans et lui cinquante-cinq lorsqu'ils s'étaient rencontrés. Séducteur et amateur de jolies femmes, le juge s'était enflammé pour la châtelaine. Jusqu'où avait été ce « sentiment » ? Et, surtout, quelle avait été la réponse de « Hibernia », ainsi que le juge surnommait Claire ? Les lettres de celle-ci ayant été brûlées, on en était réduit aux conjectures. Même en tant que fantôme, elle restait fuyante. Son mari avait été vu et reconnu par tout le monde. Elle n'était apparue qu'à la seule Géraldine, sa nièce, et de la façon la plus déroutante. « À la fin de sa vie, raconta Arthur Montgomery, elle tomba dans l'excentricité. Abandonnant cette magnifique chambre où nous sommes, elle s'installa dans une pièce du second étage. C'est là qu'elle vécut en recluse jusqu'à sa mort. »

Nous empruntâmes à nouveau l'élégant escalier pour rejoindre une pièce d'angle, plutôt vaste et basse de plafond. Elle suintait l'abandon avec ses quelques chaises boiteuses, son canapé éventré et son coffre à bois usé. Les cinq grandes fenêtres laissaient entrer la lumière à flots et l'on pouvait embrasser du regard le vaste panorama du parc moutonnant sur des kilomètres. Il était néanmoins parfaitement inexplicable, selon les normes sociales de l'époque, que la châtelaine ait abandonné l'étage des maîtres pour celui des domestiques. Certes, il y avait bien eu l'exemple de son père, ce lord Doneraile soi-disant mort de la rage, enchaîné, à ce même étage, affirmation contestée par Arthur Montgomery. Nul ne savait donc pour quelle secrète raison lady Casteltown décida un jour de venir s'enfermer dans cette pièce, et y mourir.

Resté seul, je commençai par me laisser charmer par la vue offerte sur les grands arbres dépouillés et tordus par le vent, les rivières grondantes traversant le domaine, les prairies vallonnées sillonnées de troupeaux de cerfs. Un vent déchaîné agitait les ardoises au-dessus de ma tête et le pâle soleil répétait le dessin des fenêtres à petits carreaux sur le parquet vermoulu. Mois après mois, année après année, lady Casteltown avait vécu dans cette pièce qui constituait tout son univers. Elle avait tellement imprégné l'atmosphère renfermée de ses pensées, de ses sentiments, de son mystère qu'elle y demeurait comme présente. Grande et majestueuse, elle s'avançait lentement, et s'arrêtait devant la cheminée. Son visage était enveloppé de traînées de brume, ou plutôt de voiles de mousseline transparente qui laissaient mal distinguer ses traits.

J'étais belle. On me jugeait belle. Je consacrais ma vie à ma beauté ou plutôt à la fascination qu'elle suscitait. Mon apparence était ma seule passion et j'y accordais des soins infinis. Je n'étais jamais rassasiée des regards des hommes. Je pris des amants, j'en ai eu beaucoup, mais les aimais-je pour eux-mêmes ? En fait, j'étais obsédée par ma propre séduction, au point de l'aimer plus que moi-même en constatant les « ravages » qu'elle exerçait. Ce pouvoir sur autrui m'enivrait.

J'ai eu mon premier amant lorsque j'avais seize ans. C'était un valet de ferme. Je savais bien que le scandale éclaterait quand, à mon mariage, on s'apercevrait que je n'étais plus vierge mais cela m'était égal. Casteltown était trop amoureux de moi pour y trouver à redire. Et, plus tard, il supporta mes escapades en silence. Peut-être m'a-t-il trompée, je l'en ai soupçonné sans en avoir la preuve, mais je savais qu'il n'aimerait aucune autre femme que moi.

Casteltown préférait de loin la ville, cependant par amour pour moi il s'installa à la campagne. Ainsi ai-je vécu presque ma vie durant dans ce paysage dont je raffolais. Très instinctive, j'entrais en contact avec les plantes, les arbres, les animaux, les éléments. Que de fois, des fenêtres de cette pièce, ai-je contemplé ces bosquets et ces prairies ! Les hommes me comparaient à une fleur, j'étais en fait un animal, peut-être une de ces biches du parc qui fendent l'air, ivres d'espace et de liberté.

Du temps de ma jeunesse, ou plutôt du temps où j'étais aimée, cette pièce-ci m'a bien servi. Alors abandonnée, elle était un abri idéal pour y recevoir mes amants. Bien qu'une grande maison comme la mienne fût remplie d'intendants, de domestiques, de gouvernantes, je pouvais m'y déplacer sans rencontrer personne et atteindre ainsi sans être vue cette chambre du plaisir. Je n'avais même pas besoin de me glisser dans quelque escalier de service, j'empruntais le grand degré sans croiser âme qui vive. Et pendant ce temps, la maison ne désemplissait pas. Ne dit-on pas qu'il y a un dieu qui protège l'amour ?

Mes amants furent tous remarquables par la beauté, l'intelligence, le caractère ou l'esprit d'aventure. Leur origine sociale m'importait peu, la mienne me suffisait amplement.

Je recherchais dans l'amour cet affrontement des sens, cet alliage subtil des êtres, non seulement de deux corps mais de deux personnalités. Mes relations avec mes amants furent comme mes nuits d'amour, tantôt violentes, telle la lave en fusion, tantôt douces comme une rivière tranquille.

Il y a bien eu ce juge américain, mais dans l'ouvrage qui lui a été consacré, que d'erreurs n'a-t-on pas accumulées sur notre liaison ! En fait, il était plus épris de moi que moi de lui, car je préférais les hommes plus jeunes ; mais j'admirais son intelligence, ses connaissances. Sa galanterie me flattait, et peut-être était-il lui-même gratifié de faire la cour à une dame titrée. Nous

nous accordions bien et si notre relation devint physique, ce ne fut qu'épisodi-
quement. Aventure bien plus que passion, ce marivaudage nous distraya l'un
et l'autre.

Comme bien des femmes, mes contemporaines ou d'autres époques, je voulus profiter à fond de la vie et j'y réussis pleinement. Je ne me souciais pas de
l'au-delà et, même aujourd'hui spectre prisonnier de l'invisible, je ne m'en
soucie pas encore. Il fallut cependant un certain courage pour ne reculer
devant aucune audace, pour ne s'inquiéter ni du scandale qui sans cesse me
menaçait, ni du lendemain et de ses conséquences. Jeune et belle, je ne me

préoccupais pas de vieillir, je ne contemplais jamais l'avenir. Seul le présent comptait. Et même lorsque les années passèrent, je ne reniai pas le passé, me contentant de m'en envelopper comme d'une couverture confortable qui me protégeait du froid de l'âge. Pas un instant je n'eus le sentiment du péché. Il m'arriva d'éprouver des remords vis-à-vis du malheureux Casteltown, mais regretter, jamais.

Pourtant, au fond de moi, je n'avais jamais accepté de vieillir. Rien ne me fut plus pénible que de sentir les hommages des hommes se raréfier. Comme ces maisons débordantes d'invités, qui se vident une fois la fête achevée et les lumières éteintes. Aussi voulus-je fuir le monde… Je faisais des apparitions, mais calculées. Je me maquillais, je me voilais, je choisissais l'heure de façon que la lumière fût assez faible pour ne pas divulguer les ravages des ans. Seul mon mari continuait à me flatter sur ma jeunesse, sur ma beauté. Il me trouvait toujours désirable alors que c'était le seul homme que je ne désirais pas. Pourtant je le savais sincère. Mais plus il s'entêtait à m'entourer de ses attentions, plus elles m'enfonçaient dans la conscience de ma déchéance physique.

Mes amies aussi me complimentaient sur ma beauté si bien conservée. J'avais envie de les gifler, de les jeter dehors. Les hommes qui venaient au château se montraient aussi galants mais par habitude, comme un vieux disque usé qui ne peut plus s'arrêter. Quant aux plus jeunes d'entre eux, ils me torturaient sans le savoir, lorsque je lisais dans leur regard que je n'étais plus une femme mais une simple curiosité.

Alors, bravant les conventions, je montais au second étage, dans cette pièce qui me rappelait de bien agréables souvenirs, des souvenirs avec lesquels, désormais, je voulus m'emprisonner. Ici, je me sentais en sécurité, coupée des regards d'autrui. Puis je tombai malade, ce qui me rendit furieuse. Dans ma fierté excessive, je considérais les maux du corps comme une honte réservée aux faibles. Si je ne voulais pas vieillir, je ne voulais pas non plus mourir. Cependant, je me forçai à affronter le moment final sans défaillance.

Quand l'heure ultime s'approcha, je ne voulus personne auprès de moi pour m'assister. Je chassai le médecin, que je méprisais pour n'avoir pu me guérir, et le prêtre, dont je n'avais nul besoin, croyant pouvoir dialoguer directement avec Dieu. Ma vie durant, je lui avais demandé ce que j'avais voulu et il m'avait exaucée. Mais alors que ses grâces s'arrêtaient, je demeurais toujours aussi orgueilleuse et me débattis seule contre le destin.

Ainsi ai-je quitté ce monde pleine de colère et d'amertume, minée par la maladie et la vieillesse, par le sentiment écrasant de ma décadence. Morte la rage au cœur car la mort ne fut pour moi qu'une défaite abominable.

Cette rage qui me condamna à l'état de fantôme se poursuivit, après ma mort, contre mon mari. Ma disparition l'avait accablé de chagrin car il aurait tant désiré mourir à ma place ou avant moi. Et pourtant je lui en voulus mortellement de me survivre. Puis, cette hideuse jalousie, dont j'ai honte, se dilua lentement et je le laisse désormais hanter Doneraile, fantôme comme moi, clamant sa douleur et son éternel amour.

Dans la dimension où je me trouve, la liberté totale m'est accordée. Rien ne m'est ordonné, aucune autorité ne m'impose quoi que ce soit. On me le dit, on me le répète, on me le fait comprendre ; il me faut prendre conscience. Alors mon sort évoluera. Quel sera-t-il ? Je l'ignore. Ni malheureuse ni heureuse, je ne suis pas satisfaite. L'ancienne définition chrétienne des limbes approcherait de ma réalité présente. Ce n'est pas une brume grisâtre, ce n'est pas le vide, je n'éprouve aucune souffrance, seulement un état de neutralité.

Je suis seule et à la fois je ne suis pas seule, en ce sens que je sais qu'il y a autour de moi des millions et des millions d'« esprits en attente » comme moi, mais je ne communique pas avec eux. Mes semblables m'apparaissent comme des ombres vaguement dessinées, anonymes, dont je ne distingue pas les traits. Par contre, eux et moi, nous voyons jusqu'au tréfonds des êtres vivants. Nous lisons dans leur esprit et dans leur cœur jusqu'au plus petit détail, jusqu'à la moindre nuance. Les vivants, à nos yeux, sont semblables à des livres ouverts qui se feuilletteraient devant nous. Toutes leurs pensées, leurs actions, leurs sentiments sont transparents pour nous. Mais ils n'ont rien à craindre car les morts ne jugent pas leurs actes. Ils se contentent de les voir.

Après ma mort, j'ai pu revoir mon existence en entier et cette mémoire ne me quitte pas et me hante. Beaucoup plus que je hante, je suis hantée. Même à l'état de spectre, je préfère entourer mon visage de brumes pour cacher les rides et les flétrissures du temps. Quant à ma nièce Géraldine, lorsque je lui suis apparue dans mon miroir, je le fis si brièvement qu'elle crut voir une femme aussi belle que la Sainte Vierge. Ne me plaignez pas, ne me méprisez pas, ne m'admirez pas. Simplement imaginez-moi, regardez-moi jeune et belle.

Lady Casteltown avait-elle dit toute la vérité ? Elle s'était montrée bien convaincante mais l'âge et ses renoncements obligatoires suffisaient-ils à expliquer cet enfermement ? Le portrait d'elle dans le vestibule de Doneraile révèle, même avec ses rides et ses cheveux blancs, une femme restée fort désirable. Alors pourquoi cette réclusion volontaire ? Peut-être avait-elle été atteinte d'une maladie qui l'avait défigurée.

J'écrivis pour poser la question à Arthur Montgomery qui, après des recherches dans les archives, me répondit : « Vous aviez raison. Lady Casteltown avait un bon motif pour déménager dans une chambre plus isolée. Dans une lettre adressée à lord Casteltown, un employé du domaine conclut : "Nous souhaitons aussi adresser à notre aimable et gracieuse dame nos sincères et chaleureuses félicitations pour sa complète guérison du grave accident qu'elle eut il y a quelque temps..." »

Nous avions fait un grand pas, mais nous n'avions toujours pas trouvé le fin mot de l'histoire. Nouvelle question à Arthur Montgomery, nouvelle recherche, nouvelle information. Lady Casteltown avait été victime d'un accident de chasse. Des plombs lui avaient crevé un œil et l'avaient forcée depuis à porter un bandeau noir. Nous tenions l'explication. Cette exigeante beauté, devenue borgne, s'était cachée et n'avait plus voulu paraître que très rarement et lourdement voilée. Coquette jusque dans l'au-delà, ses aveux mêmes avaient tenté de dissimuler cette disgrâce afin que nous gardions intacte l'image de sa rayonnante beauté.

La robe grise et verte

Gojim
Province de Porto,
Portugal

Les comtesses de Vila Flore, les sœurs Maria Luisa et Marie-José, nous recevaient, Justin et moi, à déjeuner en leur palais accroché sous les remparts du château Saint-Georges, en plein cœur du vieux Lisbonne. Ces deux grands-mères bon pied bon œil, images même de la vivacité et de l'hospitalité, bien qu'ayant mené des vies fort actives qui les plongèrent dans l'agitation de ce siècle, conservaient les grandes manières d'autrefois. Une vingtaine de représentants de l'aristocratie portugaise étaient assis autour de la longue table scintillante d'argenterie. Le menu surabondant, la qualité des vins, le personnel nombreux et empressé nous reportaient au temps de l'avant-guerre. Tout en admirant par les fenêtres la vue sur les innombrables clochers de la capitale, sur la place du Commerce, la plus belle du monde, et sur le Tage scintillant, nous bavardions avec animation de fantômes. Il se trouvait que les comtesses possédaient au nord du pays une quinta — une ferme-château — qui, à les entendre, fourmillait d'habitants de l'au-delà.

Aussi dès le lendemain matin nous partîmes pour le nord. Nous suivîmes l'autoroute jusqu'à Aveiro puis prenant à droite nous nous engageâmes dans une région déjà plus montagneuse, plus sauvage. Après Lamego, les vallées se creusèrent, les collines s'élevèrent, les villages se firent rares et la route sinua de plus en plus rudement. Ce pays de vignobles et de cultures fruitières semblait être demeuré à l'écart du reste du monde. Nous arrivâmes au modeste village de Gojim. Les énormes moellons de granit aux formes irrégulières et pourtant parfaitement ajustés les uns aux autres rappelaient étrangement les fondations des temples incas. De cette terre émanait quelque chose d'incroyablement ancien, comme si les siècles et même les millénaires s'y étaient accumulés sans la modifier.

La quinta du XVIIIe siècle illustrait le robuste baroque de province. D'autant plus touchants en étaient les essais d'élégance sous forme de vases, de pilastres, de masques défigurés par le temps, de fontaines et de larges degrés, de balustres et d'armoiries. Les comtesses avaient troqué leur tenue fort habillée de la veille pour des ensembles plus sportifs. Sans perdre de temps, elles nous firent faire le tour de la maison. Les pièces étaient basses de plafond et de sombres recoins coupaient les enfilades. Des souvenirs amassés par des ancêtres et de délicieuses vieilleries égayaient l'intérieur plutôt austère. On sentait qu'autrefois, dans cette région reculée, les maîtres, les domestiques et les bestiaux vivaient dans la plus étroite (et harmonieuse) communauté.

Nos hôtesses nous récitèrent l'inventaire des fantômes de la maison. Comme toutes les deux possèdent une culture vaste et raffinée, elles savaient à merveille ressusciter les ombres du passé. Ici, c'était la chambre du « procurator », l'homme chargé des affaires de la famille. Le grand-père des comtesses en avait longtemps cherché un, mais personne ne voulait habiter la quinta, car elle avait déjà la réputation d'être hantée. Finalement, il s'était trouvé à quelques kilomètres de Gojim un homme plus courageux que les autres. Il sortit ses pistolets et déclara au vieux comte qu'il n'avait pas peur des fantômes et que s'ils s'aventuraient à l'importuner, il avait de quoi leur répondre.

Il fut engagé derechef. Chargé de l'administration de la propriété, il passait deux ou trois nuits par semaine à la quinta. En ce temps-là où la domesticité était nombreuse, la maison était encore mieux tenue, si cela est possible, qu'aujourd'hui, et en particulier les gonds des portes étaient huilés.

Une nuit, le procurator se réveilla brusquement car sa porte s'ouvrait en grinçant sinistrement. Il sentit plus qu'il ne vit une ombre sur le seuil qui, lentement, s'avança vers lui. « Qui vive ? » cria-t-il. Aucune réponse. « Qui vive ? » répéta-t-il d'une voix plus forte mais aussi un peu chevrotante. La forme progressait toujours dans un terrible silence. Alors le procurator prit son pistolet, visa et tira au jugé. L'apparition poursuivit sa marche. Le procurator tira une seconde fois, voulut tirer une troisième, mais son pistolet s'enraya. L'ombre était sur lui, elle se penchait vers lui. Avec les mains, avec les poings il voulut la repousser, cogner. Il sentit qu'il entrait dans quelque matière, non pas un corps humain, mais une épaisseur qui se pressait contre lui et menaçait de l'étouffer. Il voulut allumer une bougie, chercha les allumettes mais ses mains tremblaient par trop. La pression de ce corps qui

n'en était pas un s'accentua. Alors, par trois fois, il cria dans la nuit : « Arrêtez, arrêtez, arrêtez ! » A l'instant même, l'ombre poussa un hurlement que
le procurator devait décrire comme celui d'une bête féroce blessée.

Malgré la terreur qui l'habitait, il réussit à se glisser hors du lit, courut
dehors, sella son cheval, et galopa pendant plusieurs kilomètres jusqu'à son
village. Il était quatre heures du matin lorsqu'il arriva chez lui. Il frappa
comme un fou aux volets pour que ses fils lui ouvrent. Après avoir raconté
son histoire, plus mort que vif, il monta se coucher et s'endormit aussitôt.
Le matin suivant, les fils ne le virent pas descendre mais, soucieux de son
repos, le laissèrent en paix. Onze heures puis midi sonnèrent. Il allait être
une heure lorsqu'ils se décidèrent à le réveiller. Ils le trouvèrent roulé dans
ses couvertures et le secouèrent. Le procurator ne réagit pas. Il était
mort. Toute la province apprit l'histoire, et plus personne ne voulut
approcher de la quinta de Gojim où se promenait en liberté un fantôme
qui tuait.

Ce fut au tour de la comtesse Marie-José de prendre la direction des
opérations. A sa suite, nous descendîmes dans la cour ensoleillée aux gros
pavés arrondis, sortîmes dans la ruelle qui séparait la quinta d'un verger
entièrement tapissé de fleurs de camomille, pour nous retrouver devant une
fenêtre de rez-de-chaussée lourdement encadrée de granit. C'était celle de
la chambre du père Joachim, naguère chapelain de la quinta.

Le père Joachim n'avait pas froid aux yeux. Après la révolution de 1910
qui s'en était pris à l'Église tout autant qu'à la monarchie, il avait refusé de
porter le costume civil comme tant de ses collègues, plus timorés. « Si on
m'en veut, on n'a qu'à s'en prendre à moi, et on verra bien », répétait-il.
Chaque samedi soir, il se rendait à la quinta afin d'y passer la nuit et être
plus dispos le lendemain pour la messe dominicale. Un jour pourtant, il
déclara au vieux comte qu'il viendrait de son village le dimanche matin
seulement pour dire la messe. Lorsqu'on voulut connaître l'explication de
ce changement de programme, le père Joachim marqua quelque réticence.
Finalement, il avoua. La veille, alors qu'il dormait du sommeil du juste, il
avait été réveillé par une voix très claire, très forte qui l'appelait : « Padre
Joachim, padre Joachim... » Croyant que quelqu'un avait besoin des derniers sacrements, il s'était précipité pour ouvrir la fenêtre. Dehors, un clair
de lune somptueux éclairait la rue déserte. Peut-être était-ce quelqu'un de
la maison ? Il courut à la porte. Le couloir et les salons étaient tout aussi
déserts. De nouveau il entendit la même voix : « Padre Joachim, padre Joachim... » Elle semblait à présent venir de beaucoup plus loin. Le prêtre
conclut que le personnage qui le cherchait allait à l'église du village s'adres-

ser au curé. Il avait froid, il se sentait fatigué, il était vieux. Ne voulant rien savoir de plus sur cet incident, il se recoucha. A peine avait-il fermé les yeux qu'il entendit, cette fois-ci à côté de lui, la même voix qui, d'un ton amer et chargé de reproche, l'appelait solennellement. Aussitôt un sentiment de remords l'envahit et le jeta hors du lit. Courant à la chapelle, il y resta toute la nuit en prière. Depuis lors, plus jamais il n'osa passer une seule nuit à la quinta.

J'interrogeai ces dames sur leurs propres expériences fantomatiques qu'elles me racontèrent avec entrain. La comtesse Marie-José allait sur ses quatorze ans. Elle dormait avec sa gouvernante dans la « chambre hantée ». Une nuit, elle se réveilla saisie d'un froid soudain et intense, comme si un tourbillon de glace avait envahi la pièce. Toute frissonnante, elle aperçut alors une ombre au bord de son lit. C'était à n'en pas douter une femme, mais la jeune fille ne distinguait pas son visage. L'ombre était couverte de la tête aux pieds d'un vêtement très sombre, comme les dominos du carnaval de Venise. Tremblant autant de peur que de froid, Marie-José appela sa gouvernante et lui demanda ce qu'elle voyait. Le claquement de dents terrifié de sa compagne suffit à la renseigner. « Que voulez-vous ? » parvint à murmurer Marie-José à l'adresse du fantôme. Pour toute réponse, le froid s'intensifia. Alors l'adolescente se mit à prier. L'ombre aussitôt recula, ouvrit la porte et sortit, aussi silencieusement qu'elle était entrée.

Les deux comtesses avaient beau encore entendre la nuit des pas lourds arpenter le couloir qui conduisait à leurs chambres, elles n'en affichaient pas moins leur scepticisme. « Nous pensons qu'il s'agit de rêves et des exagérations de l'imagination », proclamaient-elles, sincères, ou ces dénégations servaient-elles plutôt à empêcher la peur, à repousser les maléfices, comme celui dont elles avaient été victimes six ou sept ans auparavant ?

Une nuit, alors qu'elles dormaient toutes les deux dans la chambre voisine de celle de leur père encore vivant, elles furent réveillées par un bruit fracassant, une sorte de grondement qui semblait venir de dessous leur lit et allait en s'amplifiant. Croyant à un de ces tremblements de terre malheureusement si fréquents au Portugal, elles se levèrent, alarmées. Le vacarme, terrifiant, se prolongea quelques minutes, puis cessa brusquement. Les deux femmes se précipitèrent dans la chambre de leur père qui dormait toujours. Il n'avait rien entendu, pas plus que les domestiques qu'elles interrogèrent le lendemain matin...

Je trouvai ces récits plutôt impressionnants et, pourtant, je ne fus frappé par rien de lugubre dans cette grande demeure. Au contraire, j'y humais un délicieux parfum de vétusté. Il s'en dégageait une poésie diffuse, un charme teinté de calme mélancolie. Bien sûr il y avait des fantômes, plusieurs fantômes, mais l'atmosphère ne suggérait aucune agressivité, aucune menace.

Les fantômes épuisés, nos hôtesses nous narrèrent l'histoire de leurs ancêtres, sujet favori de l'aristocratie. Ceux-ci avaient évolué dans l'entourage des souverains successifs régnant sur le Portugal et avaient donc partagé de près leur tumultueuse histoire. Ils avaient connu les reines folles, les ténébreux complots, les rois mystérieusement disparus, les invasions étrangères, les exils, les caprices d'infantes absolutistes. Le XIXᵉ siècle porta la famille aux premières loges de l'Histoire. Une guerre civile ensanglantait alors le Portugal. Une reine jeune, jolie, vaillante, Maria da Gloria, championne des libéraux, se battait pour conserver le trône que son propre oncle, le redoutable don Miguel, fer de lance des conservateurs, lui disputait. L'ancêtre des comtesses, le premier comte de Samodaes, s'engagea sous la bannière de l'héroïne couronnée. Il devint son général en chef et, à la pointe de son épée, gagna bataille sur bataille. Grâce à lui, don Miguel perdit la partie et s'exila, pendant que Maria da Gloria restait la souveraine désormais incontestée du Portugal.

Le temps passa, Samodaes se fit vieux. Lui et sa femme rédigèrent un testament commun où ils demandaient à être enterrés dans la chapelle privée de la quinta de Gojim, leur propriété préférée. Ils avaient oublié qu'une loi avait été promulguée interdisant d'ensevelir quiconque hors des cimetières.

Lorsqu'ils moururent, leur fils unique et héritier se trouva bien embarrassé, car il se voyait obligé soit de trahir la volonté de ses parents soit de violer la loi. Ce second comte de Samodaes était cependant un homme puissant. Conseiller du roi du Portugal, pair du royaume, écrivain de grand talent, ayant des amitiés dans les milieux intellectuels comme dans les cercles politiques, il obtint du gouvernement la permission d'enterrer ses parents dans la chapelle de famille, mais « en silence, en cachette, de nuit ».

Par monts et par vaux, le funèbre cortège progressa dans l'obscurité. Les voitures s'arrêtèrent dans la vallée, car en ce temps-là, il n'y avait pas de routes pour atteindre les montagnes escarpées qui enserraient la vallée du Douro. Le comte, accompagné de son épouse, n'avait pris avec lui que quelques serviteurs, les plus sûrs, les plus fidèles. Ils brandissaient des torches pour éclairer le sentier plongé dans les ténèbres, ouvrant la voie aux deux chevaux qui portaient les cercueils. Derrière, s'avançant au pas lent de leur monture, le comte et la comtesse fermaient cette lugubre escorte.

Au bout du sixième jour, le trajet s'acheva devant les murs de Gojim. Il était minuit passé. Au domaine, paysans et serviteurs dormaient à poings fermés. Les voyageurs se glissèrent par le portail de la quinta, traversèrent

la cour en faisant le moins de bruit possible. On eut quelque mal à faire entrer les cercueils par l'étroite porte de la chapelle. Des cierges furent allumés et l'on descella la lourde dalle de granit sous laquelle étaient enter-rés depuis des siècles les nobles propriétaires des lieux. Les serviteurs qui avaient accompagné leur défunt maître, peu nombreux et déjà fatigués par le voyage, eurent du mal à déplacer l'énorme pierre – et il fallut du temps pour dégager une ouverture suffisante. Ensuite, à l'aide de cordes, ils firent descendre le premier puis le second cercueil dans le caveau. Trop épuisés pour remettre la dalle en place, ils décidèrent de finir ce travail le lendemain et allèrent se coucher.

Le jeune comte et sa femme restèrent debout, immobiles, devant le trou noir et béant. Leur prière silencieuse fut le seul hommage qu'ils furent autorisés à rendre à leurs morts. Longtemps ils se tinrent ainsi, puis une lueur grise et sale remplaça aux fenêtres de la chapelle les ténèbres épaisses. Alors, après un dernier signe de croix, ils se retirèrent à leur tour. Ce fut ainsi, derrière un cercueil, que la jeune comtesse fit sa première visite à la quinta de Gojim, à laquelle elle devait pour toujours rester attachée.

« Tenez, voilà le portrait de cette jeune comtesse », me dit Maria Luisa.

Nous nous trouvions dans un salon d'angle. Le plafond richement orné de fresques était beaucoup plus élevé que dans les autres pièces, et sur les murs s'alignaient des effigies d'ancêtres. Je sursautai en découvrant celle que m'indiquait Maria Luisa, et me tournai vers sa sœur : « Vous rappelez-vous, comtesse, ce que je vous ai dit hier à Lisbonne pendant le déjeuner ? » Ce devait être vers la fin du repas et les conversations étaient plus animées que jamais. Je bavardais de choses et d'autres avec Marie-José lorsqu'une image s'interposa entre elle et moi. Je voyais toujours la pièce et les convives, mais, comme en transparence, était apparue une sorte d'étoffe. C'était une jupe grise, probablement de la soie, taillée à la mode romantique du siècle dernier. Deux pans de soie verte l'encadraient. Je n'avais pas idée de la signification de cette vision mais je la racontai à Marie-José. Or voilà que je découvrais, sur le portrait, la même jupe, de la même couleur, encadrée des deux pans de son écharpe de soie verte. Je dévisageai cette femme belle et énergique, dont les grands yeux bleus semblaient lancer un appel impérieux. Je lus son nom sur le cartouche : « Dona Henriqueta Adélaïde Vieira de Magalhaes, comtesse de Samodaes ».

Brûlant d'en savoir plus sur ce personnage, j'interrogeai Maria Luisa qui connaissait bien cette ancêtre. Très coquette, celle-ci était restée cependant fidèle à son mari. Elle aimait la toilette, raffolait de mondanités auxquelles son époux, plus intellectuel et timide, refusait de participer et que même il désapprouvait. Elle n'en avait cure et continuait à défiler dans la ville de Porto dont elle était la reine dans sa magnifique calèche à quatre chevaux. Comtesse et millionnaire, épistolière hors pair, cette femme remarquable ferait un bien intéressant fantôme. Seulement, voilà, elle avait à peine vécu à Gojim, qu'elle avait découvert à l'occasion d'un enterrement clandestin et où elle séjournait rarement. Aussi n'avait-elle aucune raison de hanter ces lieux où, d'ailleurs, elle n'était pas morte. Selon Marie-José, si fantôme de femme il y avait, ce n'est certainement pas Henriqueta, mais une certaine

Josephina, une autre de ses ancêtres dont le portrait était lui aussi accroché dans le salon. Cependant, cette inexplicable vision de la robe de la comtesse Henriqueta ne me semblait pas née du hasard. Fort de mon intuition, je demandai à aller dans la chapelle, car, au déjeuner de la veille, j'avais aussi reçu la certitude que la quinta en comportait une et qu'il s'y trouvait quelque chose d'intéressant pour mes recherches.

Nous traversâmes à nouveau la cour ensoleillée et nous pénétrâmes par une petite porte latérale dans l'église qui servait aussi de paroisse du village. Sa simplicité n'était balancée que par un autel baroque très élevé et richement ornementé. Ici et là des images religieuses se mêlaient à des fleurs en papier. Un très léger parfum de bougie éteinte subsistait. Je remarquai au centre du sol de granit la très vaste dalle sous laquelle reposaient les propriétaires de Gojim et où fut enterré nuitamment le premier comte de Samodaes. Certain que sa belle-fille, la dame au portrait, y était aussi, ce qui justifierait qu'elle hantât les lieux, j'en parlai à Marie-José. Celle-ci fut catégorique : cette aïeule ne pouvait avoir été ensevelie ici. Maria Luisa resta plus évasive. « Moi-même je suis descendue dans le caveau. Je devais avoir onze, douze ans. Mon père l'avait fait ouvrir et je lui avais demandé de l'y accompagner. Il ne me refusait rien. Nous avons utilisé une échelle branlante. Je me rappelle beaucoup d'ossements. Pensez, depuis le temps, la plupart des cercueils avaient pourri. Dans ma mémoire, je n'en vois que deux ou trois. Je ne me souviens plus d'avoir vu celui d'Henriqueta. Depuis, le caveau n'a jamais été rouvert. »

Malgré ces informations décevantes, la fraîcheur et le calme de la chapelle m'invitaient à y rester... seul. Les comtesses eurent la bonté d'honorer mon vœu et refermèrent la porte basse sur elles. Pendant un long moment, le silence régna, tandis que ma mémoire reconstituait l'image d'Henriqueta.

Je suis la dame au portrait. Seulement ma jupe grise était en fait bleue. Le tableau a vieilli, l'étoffe a changé de couleur, entourée des deux pans de mon écharpe de soie verte. Je suis enterrée sous le sol de cette chapelle car c'était ici la maison préférée de mon mari. J'ai voulu reposer avec lui dans cet endroit qu'il aimait entre tous. Si je hante ces lieux où je venais rarement, c'est parce que le secret magnifique et terrible qui m'a réduite à l'état de fantôme est lié à cette maison. Nul cependant ne m'a vue, nul ne m'a perçue, parce que je ne le veux point.

Je venais d'un grand port ensoleillé, animé, plein de vie, de mouvement. Les bateaux y entraient et en sortaient sans cesse. J'entendais monter de la rue les cris des marins, les ordres donnés pour le transport, le roulement des chariots surchargés tandis que, partout, flottait cette odeur de vin, car nous habitions une région vinicole et les entrepôts où l'on déposait les tonneaux n'étaient pas loin de notre maison.

Puis je me suis mariée, et j'ai été heureusement mariée. J'adorais mon mari et je pense qu'il m'adorait. C'était un penseur, un homme triste, bien qu'on puisse être penseur, réservé sans pour cela être triste. Peut-être sa tristesse venait-elle de très loin. Parfois, lorsqu'il me regardait, j'avais l'impression que c'était quelqu'un d'autre qui me fixait, quelqu'un rempli d'une infinie compassion et d'une insondable tristesse.

J'aimais faire des plaisanteries, m'amuser, mais surtout rire. Rire pour moi était le soleil et le printemps. J'étais belle. Belle ! à quoi cela rime-t-il ? Je séduisais mais sans plus. J'aimais les belles choses, les belles voitures, les beaux meubles, les beaux bijoux. J'aimais palper les étoffes et je prenais des heures à les choisir. Les marchands ambulants qui allaient de ville en ville, de grande maison en grande maison, savaient que chez moi il y avait toujours une bourse prête à se délier. Je préférais les tissus légers, même pour les porter ici en ce lieu de montagne assez froid et rude. J'aimais entendre le crissement de la soie chaude sur les aspérités du granit. Ce bleu pâle, qui sur mon portrait a viré au gris, était ma couleur préférée, un bleu très doux, que Dieu a emprunté pour peindre certaines fleurs de printemps.

Mon mari avait beau critiquer mes mondanités, je crois bien qu'il m'admirait d'être la reine de la ville, position dont d'ailleurs je ne tirais pas vanité. Je me considérais simplement comme une femme admirée, peut-être enviée, parfois même courtisée. Mais les autres hommes ne m'intéressaient pas, je n'aimais que mon mari. Quotidiennement, je consacrais plusieurs heures à ma correspondance. Mes lettres avaient du succès, elles étaient lues dans les cénacles et applaudies. Aujourd'hui elles dorment, oubliées, dans un dossier d'archives.

En ville, cependant, il y avait les sorties, la maison à tenir, la famille, la gérance d'une grande fortune. Tout cela prenait du temps. J'avais l'impression de ne pas en consacrer assez à mon mari, et lui aussi le regrettait. C'était donc avec un profond plaisir que nous venions ici. Même si je l'avais découvert en de lugubres circonstances, ce lieu me devint cher, car je pouvais y être seule avec mon mari, avec les enfants.

Nous faisions de grandes et longues promenades à cheval dans les environs. Nous partions tôt le matin, pour avoir plus de temps devant nous et parce que nous ne savions jamais combien d'heures durerait la randonnée. Nous montions des chevaux de la région, habitués aux irrégularités du terrain. Nous atteignions quelque hauteur d'où l'on découvrait un vaste paysage, et nous regardions monter vers le ciel, très droites, très hautes, les fumées de ces feux qu'allumaient les paysans et dont nous captions le parfum tenace. Souvent, nous nous rendions à l'Ermitage de Notre-Dame de la Pitié, perdu dans les collines. Je prolongeais ces escapades car j'éprouvais une sorte de répugnance presque inconsciente à retrouver la maison.

En effet, si je m'y sentais heureuse, au fond de moi, j'éprouvais comme un malaise. Il me semblait qu'on ne m'avait pas tout dit à son sujet. Je me demandai d'abord si mon mari me dissimulait quoi que ce soit de son histoire. Je fus rapidement convaincue que c'était impossible. Étaient-ce les régisseurs, les intendants, était-ce un membre de ma belle-famille qui me cachait quelque chose ? Je ne le pensais pas. Cependant mon malaise persistait. Alors je compris que la maison abritait un mystère, destiné à demeurer secret, surtout pour moi. Les autres savaient-ils quelque chose ? Je ne pouvais les interroger puisque je n'avais pas idée de quoi il s'agissait.

Un jour, nous nous trouvions mon mari et moi dans la bibliothèque. Il s'agissait d'une pièce plutôt petite où sur des rayons on rangeait les documents concernant le domaine : comptes rendus, rapports, titres et comptes. Ils étaient réunis en gros volumes qui constituaient le journal quotidien de la marche de la propriété. Et voilà qu'en cherchant un document, l'un de ces volumes tomba par terre et un papier s'en échappa, un papier blanc, plié en quatre. Mon mari parut aussi étonné que moi. Je ramassai le papier, l'ouvris, commençai à lire. L'écriture était assez grande, penchée, avec de beaux arrondis. Ayant achevé ma lecture, je passai sans un mot le papier à mon mari. Il le lut à son tour, puis nous nous regardâmes l'un et l'autre longuement, silencieusement, haletants. Il était blême, et je suppose que moi aussi j'étais très pâle.

On ne peut imaginer combien de secrets recèle encore le sol de cette planète, pourtant creusé, fouillé, sondé, examiné, analysé. Des secrets naturels qui appartiennent à la terre ou que des humains y ont déposés, et que leurs successeurs n'ont toujours pas exhumés. C'est à ce dernier genre qu'appartenait le nôtre. C'était un secret terrible. Je ne peux en dire davantage car il ne faut pas qu'il soit révélé... C'était une sorte de trésor, mais non de ceux qui réveillent l'avidité des humains. Il ne s'agissait ni d'or ni de bijoux.

Dans l'Antiquité la plus reculée, il existait aux confins de la Perse et des Indes une tribu, qui fonda un culte étrange. Celui-ci procédait à la fois d'un

mysticisme des plus authentique, mais aussi d'une dépravation. Au cours de leurs liturgies qui se déroulaient dans des grottes creusées dans la falaise, ils présentaient leurs offrandes, ils psalmodiaient leurs oraisons, ils dansaient autour des autels grossièrement taillés et ils finissaient par s'accoupler entre officiants du même sexe. En même temps, ils possédaient un trésor spirituel d'une fabuleuse antiquité et d'une importance considérable, dont il était interdit de décrire jusqu'à l'apparence physique. Leur destin les avait en effet amenés à découvrir dans une des grottes un document qui servait de clé, qui constituait un chapitre important du savoir et une dimension de la connaissance généralement inaccessible aux humains ; ce document devait demeurer enfoui jusqu'à ce que vienne le déterrer un être capable de le décrypter. Ce trésor, ils en saisissaient la valeur au point de tout faire pour veiller sur lui et sacrifier leur vie jusqu'au dernier pour le conserver, mais en même temps, ils n'y avaient pas accès. Pour utiliser une métaphore, ils défendaient un coffre-fort dont ils ne possédaient pas la combinaison. A cause de leurs pratiques inorthodoxes, les membres de cette secte, poursuivis par les foudres de la loi, durent s'exiler. Ils arrivèrent jusqu'ici, amenant leur trésor. De nouveau, ce n'était pas le hasard qui avait guidé leurs pas. Car en vérité tout est calculé, tout a un sens, même s'il échappe aux humains, tout a un but, souvent occulte, qui préside aux événements apparemment fortuits, aux rencontres, aux coïncidences.

Ce lieu, à l'époque totalement isolé, offrait donc l'abri parfait. D'autre part, ce sol recèle dans ses composantes énergétiques un puissant excitant sexuel, qui convenait à leurs pratiques. Même aujourd'hui, il se passe encore dans ce village, derrière les murs épais de granit, dénuées de toute hypocrisie possible, des choses inimaginables en ce domaine. Si ces parois devenaient transparentes, on découvrirait le répertoire le plus complet des fantaisies érotiques. Car en vérité, dans ce recoin perdu des montagnes du Portugal, en ce village assoupi, on retrouve cette même force qui a fait la réputation de sanctuaires aussi célèbres que Delos ou Ephèse.

Les membres de cette secte bâtirent un temple dont on trouverait les restes bien modestes sous cette maison ou alentour. Au bout de quelques générations, ils s'éteignirent. La poussière, les cendres recouvrirent leurs habitations, leur sanctuaire et, bien des siècles plus tard, d'autres hommes vinrent s'installer ici, qui commencèrent à cultiver, à bâtir, jusqu'à construire cette magnifique maison.

Ces nouveaux venus tombèrent sur le trésor de la secte. Une donnée qui se trouvait à leur portée, leur permit d'en deviner la prodigieuse valeur spirituelle, tout en ignorant sa formule et sa portée. Ils s'en firent les humbles serviteurs, comprenant qu'ils devaient empêcher à tout prix qu'il ne fût exhumé.

Qui étaient ces gardiens ? Des gens de la région qui, armés de l'hermétisme du paysan, formèrent une sorte de... société secrète et, de génération en génération, veillèrent sur le trésor.

Néanmoins, il y en eut un plus éduqué que les autres. Il avait quitté la condition de paysan pour devenir un petit bourgeois et entrer dans l'administration de cette propriété en tant que comptable, d'un très modeste niveau. Il avait acquis des lettres et quelques connaissances. Cette pseudo-culture lui fit perdre ce respect pour le trésor que les autres membres de la société conservaient. Non pas qu'il eût l'intention de l'utiliser, mais au contraire des autres qui se sentaient les desservants de leur secret, il s'en crut le maître. Il ne fut pas bien coupable, et pourtant infiniment coupable. Une seule page qu'il écrivit pour révéler l'existence de ce trésor, fut son crime. Un accident effroyable mit très rapidement un terme à son existence.

Mais le papier était là, le document qu'il avait glissé dans un des registres de la bibliothèque, à laquelle, de par sa fonction, il avait accès. Et nous l'avions découvert.

Mon mari me fit jurer le secret. Je tins parole. Toutefois, ma curiosité fut trop forte. Je voulus en connaître la nature, la signification de ce trésor. J'ai dit par métaphore qu'il se présentait comme un coffre-fort dont on aurait perdu la combinaison.

J'essayai de le forcer. Le trésor se volatilisa instantanément, car il comportait une sorte de mécanisme qui l'autodétruisait à l'instant où quelqu'un qui n'était pas habilité à en connaître la combinaison cherchait à le violer. Ainsi disparut-il.

Très peu de temps après, je mourus d'une maladie banale, qui emporta nombre de mes contemporains, si bien que personne ne s'étonna que je l'aie attrapée. C'était le signe, c'était la marque. C'était, non pas un châtiment mais une conséquence automatique. Car le trésor avait aussi le pouvoir de tuer celui qui tentait de le forcer.

Une raison similaire à la malédiction de ce pharaon qui exterminait, dit-on, tous ceux qui s'aventuraient dans sa tombe, me laissa dans l'état de fantôme. Mon geste malheureux libéra une énergie qui, au moment de ma mort, me retint et me condamna.

Depuis, j'ai eu le loisir de réfléchir et d'écouter ceux qui m'assistent, car des entités, des conseillers m'appuient, m'éclairent, m'enseignent. Les fantômes ne sont pas parfaits. Le fait même que nous ne soyons pas montés dans la lumière en apporte la preuve. Cette partie de nous-même qui reste en arrière garde les qualités mais aussi les défauts que nous avons possédés de notre vivant. Nous sommes néanmoins influencés par la connaissance que nous acquérons après la mort, et surtout par le but fixé devant nous. Depuis ma mort, sans me manifester, sans apparaître, je protège mes descendants, je protège cette maison que j'ai beaucoup aimée. Malgré la tristesse qu'elle peut dégager, elle sera toujours sinon heureuse du moins paisible. Génération après génération, notre famille continuera à y habiter et à s'y sentir bien.

Nota bene : Mon éminent ami iranien, Ahmad Ali S.A., a confirmé, après recherches, l'existence dans l'Est iranien de confréries religieuses exclusivement masculines dont l'origine remontait à l'époque pré-aryenne.

Le terrible caprice du destin

Château de Iuelsberg
Île de Fionie,
Danemark

Justin et moi, nous avions débarqué la veille en Fionie. Avec ses prairies vertes et jaunes doucement vallonnées, ses bosquets au coin desquels se dressaient des castels avenants, ses grandes églises « gothiques du Nord » toutes blanches dominant de plaisants villages aux maisons à colombages et toit de chaume, croulant sous les lilas, les genêts, les aubépines en fleur, avec ses côtes fleuries où s'ébattait tout un monde ailé, cette grosse île débordait de charme et n'évoquait guère les fantômes. En la parcourant, je me sentais de plus en plus comme le « sous-préfet au champ » de Daudet et l'envie me prenait de planter là mon travail, de jeter mon habit, de me coucher dans une prairie et d'écrire des vers de mirliton.

Ce Danemark si net, si transparent, si bien tenu, héberge pourtant un des plus célèbres fantômes de l'Histoire, celui du père de Hamlet.

Stimulé par le vigoureux printemps danois, nous quittâmes Nyborg, pour rouler sur quelques kilomètres vers le nord, et empruntâmes une longue allée bordée de chaque côté par des chênes séculaires. Nous traversâmes un bois romantique, passâmes devant une grosse ferme du siècle dernier, avant de pénétrer dans un parc. Des prairies se terminaient en lacs artificiels balisés de bosquets. Une grille ouvragée apparut au détour de la route et s'ouvrit sur un jardin à la française, où de très vieux ifs marquaient les limites des pelouses tirées au cordeau. Au fond s'alignait la longue façade du château de Iuelsberg, construit au XVIIIe siècle, dans un baroque solide et austère, dépourvu de putti, de vases, de volutes et autres frivolités.

Nous avions rendez-vous avec « la Fille qui pleure » et le surnom mélancolique de ce fantôme m'avait fait quitter Paris, impatient d'en apprendre plus sur elle. Le propriétaire des lieux, Éric Iuel, me désenchanta aussitôt : « Non, il n'y a jamais eu ici de fille qui pleure. C'est une invention. » Il m'assura qu'il s'agissait d'une erreur. Nous nous trouvions dans la vaste et lumineuse cuisine du château où des meubles de style voisinaient avec les fours et les lave-vaisselle. Je contemplai tristement ma tasse de café. S'il n'y avait pas de fantôme, mon voyage s'avérait inutile. Il ne me restait plus, avant de repartir, qu'à visiter malgré tout les lieux.

La qualité des collections commença par me rasséréner. A défaut de fantômes, nous aurions au moins vu de belles choses. Les portraits de famille étaient de très bonne facture, ceux des rois de Danemark le comble du bizarre, avec en particulier ce profil de Christian IV, le héros de la dynastie, coiffé d'une longue tresse grise terminée par une énorme perle. Les porcelaines sortaient des meilleures manufactures, les meubles resplendissaient des marqueteries les plus sophistiquées. Je tombai en arrêt devant un Savonnerie exceptionnel. Commandé par Louis XIV, il venait en droite ligne de la galerie des Glaces. Grâce à toutes ces splendeurs, je finis par oublier ma quête des fantômes.

Au détour d'un escalier, Éric Iuel m'indiqua un grand tableau représentant un château tarabiscoté. C'était Iuelsberg avant que sa famille ne l'achetât en 1770 et ne le rasât pour construire à la place une plus vaste résidence à la mode du temps ; simultanément, un parc à l'anglaise remplaça le jardin à l'italienne des siècles passés. Au bout du couloir réservé aux invités, nous pénétrâmes dans la chambre d'angle, décorée de meubles en acajou ou recouverts de chintz. Alors, contre toute attente, Éric Iuel commença à me narrer une bien curieuse histoire.

Il avait un frère aîné d'un tempérament artiste, compliqué et plutôt excentrique, mort une dizaine d'années auparavant. Un jour, Éric écoutait une cassette ayant appartenu à ce dernier. Il s'agissait de ballades à la fois sombres et poétiques, composées et chantées par Leonard Cohen. Brusquement, la musique s'interrompit et il entendit des pleurs d'enfant, suivis de cris de mouettes. Puis il sursauta en reconnaissant deux voix d'hommes familières, celles de son frère et de son père, tous les deux décédés. Ils discutaient de fantômes et son père racontait l'expérience qu'il avait eue dans la chambre où, précisément, nous nous trouvions :

« Une nuit, alors que je dormais à poings fermés, je fus réveillé par une sensation que je n'avais jamais éprouvée. J'avais l'impression que quelqu'un, quelque chose était entré dans la pièce. Je tâchai de percer l'obscurité et, bientôt, la luminosité de la nuit qui entrait par la fenêtre dessina indistinctement les contours d'une ombre très grande, très vague, très noire. Je me demandai si un oiseau n'était pas entré dans la chambre, mais quel volatile pouvait avoir cette taille ? Me levant, j'allai vers la fenêtre. Elle était close, et nul animal n'avait pu pénétrer dans la pièce. Lorsque je me retournai, l'ombre s'était fondue dans les ténèbres. Instinctivement je consultai ma montre, il était deux heures du matin. »

Éric Iuel est catégorique. Son père était bien trop puritain pour consentir à parler fantômes et encore moins à se laisser enregistrer sur magnétophone à ce sujet. Et pourtant, plus avant encore, sur la cassette, son père récidivait et racontait une aventure arrivée au comte B. Ce seigneur, chef de l'une des premières familles du Danemark et hôte fréquent de Iuelsberg, était toujours logé dans la chambre d'angle — jusqu'au jour où il déclara que pour rien au monde il n'y dormirait à l'avenir, car chaque nuit il était réveillé par une présence invisible mais très puissante, et toujours à deux heures du matin. On oublia le souhait du comte B., et lors de son séjour suivant, on le remit dans la chambre. Le lendemain, lorsque la femme de chambre apporta le petit déjeuner, elle trouva dans le lit non pas le comte mais la comtesse B., son épouse. Puisqu'on n'avait pas exaucé son souhait, il avait changé de chambre et installé son épouse dans la pièce hantée.

Nous visitâmes les autres chambres d'amis, décorées avec simplicité et gaieté, sans aucune communication entre elles, et pourtant j'eus l'impression qu'elles étaient en enfilade. Éric Iuel m'apprit qu'au siècle dernier on avait muré les portes de communication. La dernière était l'ancienne chambre de la sœur d'Éric. Bien que les meubles n'en fussent pas très anciens, elle conservait une atmosphère romantique. Dans un coin se dressait un miroir en pied serti de bronze. Je le contemplai en me demandant qui, dans un passé plus ou moins lointain, avait pu s'y mirer, car j'avais l'impression fugace que quelqu'un, une femme, allait y apparaître. Le petit bureau placé contre la fenêtre m'attirait particulièrement. Je m'y assis. La tentation me saisit de prendre une plume et de commencer à écrire. Je levai les yeux et découvris par la fenêtre la vue sur le parc. Une vaste pelouse, où poussaient dans un désordre savamment conçu de très hauts arbres, menait jusqu'à un pavillon néo-classique posé sur de gros rochers. Dans son écrin de vieux hêtres, ce petit temple à colonnes blanches semblait singulièrement hospitalier et je ne pouvais en détacher mon regard.

Sur les murs de la pièce voisine couraient des étagères chargées de volumes anciens aux reliures en veau ferré d'or. Au milieu, un grand billard attendait des joueurs qui n'avaient pas l'air de l'utiliser souvent. Spacieuse et aérée, la bibliothèque me sembla pourtant oppressante, mais surtout j'eus brusquement froid. La température y était nettement inférieure à celle des autres pièces. Éric Iuel avoua que sa sœur en avait peur et y pénétrait le moins possible. Il la taquinait souvent à ce sujet, et lui enjoignait d'aller

chercher le billet de cent kronen qu'il avait déposé sur le billard. Elle devait s'exécuter avant l'aube, sinon il le reprendrait. « Elle y allait parce qu'elle avait un sérieux besoin d'argent, mais elle était terrorisée. » Il y avait d'ailleurs de quoi... Le billard comprenait un tiroir dans lequel on rangeait les boules d'ivoire. Or chaque nuit, la sœur entendait les boules rouler et s'entrechoquer dans leur boîte. Elle bondissait hors de son lit, courait ouvrir la porte de communication, et allumait. Mais il n'y avait personne dans la pièce et le tiroir aux boules restait bel et bien fermé. Je partageais l'opinion de la sœur quant à la bibliothèque, et préférai m'isoler dans son ancienne chambre... Mon regard allait de la psyché au petit bureau devant la fenêtre, et un portrait me revint en mémoire... Celui d'une jeune femme de l'époque romantique. Le visage triangulaire, les grands yeux sombres, la bouche mutine, elle penchait gracieusement la tête et portait une robe bleue. Seulement cette peinture représentait une Espagnole et n'avait rien à voir avec un fantôme danois. Malgré mes efforts, je ne parvenais pas à chasser la ravissante effigie de mon esprit...

Je suis née dans cette chambre. Un concours de circonstances fit que ma mère m'y donna le jour. Puis nous quittâmes la maison. Plus tard j'y revins et y demeurai prisonnière de nombreuses années. Je n'y fus pas enfermée par un mari jaloux ou un frère envieux, j'y restai recluse volontairement. Toute petite déjà, la rage d'écrire m'avait habitée. Nous n'allions pas à l'école. Des instituteurs venaient de la capitale nous donner nos leçons à mes frères et sœurs et à moi-même. Je préférais par-dessus tout la composition où j'excellais. Je ne devais pas avoir encore dix ans et déjà mes écrits étaient lus dans les soirées intimes de la famille. J'étais trop petite pour qu'on m'y invitât, mais j'écoutais derrière la porte et j'en étais fière.

Adolescente, je commençai par écrire des poèmes, que je dédiais à mes parents, à mes grands-parents, à ceux que j'aimais. Et à lui aussi. C'était un cousin. J'avais quinze, seize ans et j'en étais amoureuse. Il habitait un château sur une autre île et, chaque été, venait avec les siens passer ses vacances ici. Âgé d'une ou deux années de plus que moi, il avait le teint pâle, des cheveux très noirs. Avec ses mèches rebelles, il incarnait à mes yeux le comble du romantisme. Sa nature néanmoins ne correspondait pas à son physique, car il avait un tempérament plutôt terne et un esprit dépourvu de la plus élémentaire imagination. Il était destiné non pas à enfourcher l'aventure, la passion, la tragédie, mais à devenir un grand propriétaire terrien et à fonder une famille. D'ailleurs, il n'y avait aucun obstacle à ce qu'il m'épousât, puisque ma famille et ma fortune me plaçaient au même rang que lui.

Un soir, avant dîner, je lui déclarai mon amour dans un poème que je glissai sous son assiette. Il vit le papier, le lut, le replia et le mit dans sa poche. À l'autre bout de la table je tremblais, brûlant de connaître sa réaction.

Il ne m'en souffla mot. Je récidivai, lui envoyai d'autres poèmes... mais il n'y répondit pas davantage. Pourtant, au lieu de me fuir, il ne me quitta plus. Je n'osais lui demander ce qu'il en pensait et lui ne m'en disait rien. Mais il posait sur moi ses grands yeux sombres et je me figurais y lire l'amour. Puis un jour...

Je tombai malade. C'était un mal sournois qui s'attaqua aux muscles de mes jambes dont je perdis l'usage. Condamnée à l'immobilité, il fallait me transporter et l'on me fit faire une chaise spéciale. Dès le début, je compris que ma maladie était mortelle mais j'étais si jeune que je croyais avoir encore du temps devant moi. Cependant je voulus mourir là où j'étais née. Aussi m'installai-je dans cette chambre.

Je me suis si souvent regardée dans le grand miroir en pied que, si on le fixait assez longtemps, on m'y verrait apparaître. On y détaillerait ma bouche minuscule et rose, mon nez finement ciselé, mes sourcils blonds, mes longs cheveux bruns, mes yeux sombres, lumineux et joyeux. Je ressemblais étonnamment à une de mes contemporaines dont le portrait est conservé à Madrid.

Je portais souvent une robe bleue à col blanc qui était devenue mon uniforme, je m'attardais au petit bureau placé devant la fenêtre et y passais de longues heures. Écrire était ma passion et je noircissais page après page. De temps en temps, levant les yeux, je contemplais au fond du parc le pavillon blanc ; il me semblait que ma muse y habitait, qui rechargeait mon inspiration. Malgré mon état, j'ai connu de grandes joies dans cette chambre, et pourtant elle avait déjà cette atmosphère de tristesse qu'elle devait garder par la suite. Peut-être à cause du fantôme de la bibliothèque voisine. J'étais en effet sensible aux esprits et j'ai toujours eu l'impression qu'il s'y était passé un événement très grave. Je m'y faisais porter le plus rarement possible car chaque fois que j'y pénétrais, j'y ressentais un froid incompréhensible.

J'atteignis vingt-cinq ans, et le petit cousin, le beau romantique, se maria. Je fus invitée à la noce, mais n'y allai pas. Il partit vivre sur ses terres, ou plutôt celles de sa femme, et ne revint plus ici. Je ne le revis jamais, mais son image m'obséda encore plus — et à partir de cet être de chair et de sang, je fabriquai un surhomme que je parai de toutes les vertus et de tous les talents. J'écrivis exclusivement pour lui, m'arrangeant cependant pour que personne ne puisse le reconnaître. Chacun de mes vers transfigurait l'objet de cet amour impossible, condamné par ma maladie.

La certitude avait grandi en moi que je mourrais jeune. Ce qui comptait le plus, ce n'était pas de prolonger ma vie de quelques années, mais d'avoir assez de temps pour graver mon destin dans une œuvre.

Je publiai mon premier recueil de poèmes, un tirage limité qui néanmoins

connut un franc succès dans la société et le monde littéraire. La maladie qu'on me connaissait, la beauté qu'on m'avait connue, le talent qu'on m'attribuait firent de moi une jeune femme à la mode. Ce succès devait me perdre.

On vint me voir. Je tins salon dans ma chambre et aussi dans une autre pièce que je m'étais aménagée à l'étage.

Bientôt, je fus à ce point envahie par les visites que je songeai à me réfugier ailleurs pour écrire. Une inspiration me poussa vers le pavillon à colonnes blanches que je voyais de ma fenêtre. J'y fis rouler mon fauteuil. J'entrai dans une vaste pièce peinte en blanc, meublée de quelques tables et fauteuils en bois blanc. Six grandes fenêtres ouvraient sur la campagne. J'avais trouvé l'endroit idéal. J'y revins tous les jours, armée de mon écritoire en acajou incrusté de bronze, un joli objet importé d'Angleterre, dans lequel je rangeais mon encrier, mes plumes et un papier épais, couleur crème, que j'affectionnais tant. Personne ne vint me relancer jusque-là.

La maladie me faisait de plus en plus maigrir, elle me vieillissait avant l'âge, elle gênait mes mouvements, mais je conservais intacte la faculté d'écrire. Mon état s'altérait au gré des saisons qui transformaient la nature autour du pavillon. Cependant, ma volonté créatrice grandissait a contrario. Un ange remplaçait la muse profane qui avait suggéré mes premiers poèmes. J'approchais de la mort, je le savais. Ne me faisant pas peur, celle-ci prit une place grandissante dans mon inspiration. Peu à peu, elle s'empara des mots jusqu'à occuper, page après page, une place prépondérante. Je publiai ces « essais » où le lyrisme se mêlait à la métaphysique au travers de mon expérience personnelle. Leur succès élargit encore le cercle de mes lecteurs comme celui de mes visiteurs. Grâce au bouche à oreille, je devins encore plus un objet de curiosité. Tantôt « ils » m'écrivaient pour solliciter un rendez-vous, tantôt « ils » arrivaient sans prévenir. Parfois à pied, après avoir marché plusieurs jours, à cheval, en carriole, et même dans les voitures les plus élégantes attelées de deux chevaux. Je les recevais dans l'une ou l'autre de mes chambres. En fait, ils ne venaient que pour en savoir plus sur la mort qui, par la force des circonstances, était devenue mon sujet. Je leur expliquais que la mort n'était qu'un passage vers un état bien plus prometteur, bien meilleur.

L'intérêt que je suscitais chez mes lecteurs compensait le manque d'intérêt qu'éprouvaient pour moi les miens. Ces braves gens, généreux, ouverts et hospitaliers, demeuraient fermés aux préoccupations métaphysiques ou tout simplement intellectuelles. Ils m'aimaient de tout leur cœur et se lamentaient sur mon sort. Mon œuvre, ils l'appréciaient mais sans la comprendre. Ils montaient me voir lorsqu'ils étaient sûrs de ne trouver aucun visiteur chez moi, c'est-à-dire le matin très tôt ou le soir, lorsque le flot s'était retiré. Ils ne cachaient pas qu'ils étaient fort importunés par l'agitation créée autour de moi, et souhaitaient ardemment que le calme revînt.

Loin de les exaucer, j'étendis mes activités. A cette époque où triomphait le romantisme, le Danemark offrait un véritable raffinement culturel, une intense vie intellectuelle représentée par de bons écrivains, des romanciers remarquables, des poètes, des auteurs dramatiques. Tous se connaissaient et restaient en contact étroit. J'entrai en correspondance avec ceux que je n'avais pas rencontrés. *Tout le jour penchée sur mon écritoire, je communiquais avec de nouveaux amis, des groupes, des cercles. Grâce à mes correspondants, je pénétrais dans des lieux inconnus, des demeures lointaines, je visitais des intérieurs, des parcs, des jardins où jamais je ne me rendrais. Je communiquais avec des gens passionnants qui jamais ne me verraient, car je ne pouvais pratiquement plus me déplacer.*

Ces réunions quotidiennes dans ma chambre, ces causeries, ces travaux littéraires, ces correspondances où la mort tenait tant de place, me masquaient l'imminence de ma propre fin, m'empêchaient d'y songer. De temps en temps elle s'introduisait pourtant dans mes pensées, provoquant des réactions fort diverses. Parfois je la regardais droit dans les yeux, résolument, avec confiance. A d'autres moments je frissonnais, je tremblais et ce sentiment d'horreur anticipée demeurait dans le secret de mon âme.

J'avais néanmoins une foi profonde. Je croyais en l'au-delà, et j'espérais que Dieu étendrait sur moi sa miséricorde que je considérais avoir bien méritée.

Un jour je fus invitée dans un château, non loin de la capitale. Cette vaste et riche maison appartenait à une famille à mi-chemin entre l'aristocratie et le monde intellectuel, et renommée pour ses intérêts littéraires et artistiques. Elle l'est d'ailleurs restée jusqu'à maintenant. Tout un cénacle devait se réunir dans ce château, et je me persuadai que cette invitation serait pour moi l'occasion de m'offrir le dernier mais le plus grand des plaisirs : faire mes adieux au monde car, désormais, je n'avais plus beaucoup de temps devant moi. J'avais à peine trente ans.

Je savais que le voyage serait pénible mais j'acceptai l'épreuve. Il pleuvait, le vent soufflait avec force, malgré l'arrivée de la belle saison. Je fus conduite en voiture, pris ensuite le bateau, voyageai de nouveau par la route pour atteindre enfin le château. J'y fus reçue comme si j'avais été la plus grande créatrice du pays. On m'installa dans la plus belle chambre. Située au premier étage, elle était ornée de splendides tentures murales et de boiseries magnifiquement sculptées auxquelles personne n'avait touché depuis des siècles. Elle comprenait aussi un gros poêle de fonte. C'était un peu la pièce musée du château que l'on réservait pour les grandes occasions.

La soirée se passa encore plus merveilleusement que les précédentes. On poussait mon fauteuil d'un salon à l'autre où se pressait une assemblée brillante et animée. Les hommes portaient le frac, les femmes une robe légère. Nous prenions les gazettes arrivées de Londres, de Vienne, de Pétersbourg, de Naples et même de Dresde, de Francfort et de Leipzig, car en plus de parler le français et l'allemand, nous nous tenions informés de ce qui se publiait en anglais et en italien. Nous discutions de livres récemment parus dont les piles s'entas-

saient sur les tables rondes. Je me grisais d'échanges intellectuels et littéraires.

Le dîner fut comme un entracte de frivolité. Les fenêtres de la salle à manger ouvraient sur le parc où le jour s'éternisait. Les bougies des lustres et des girandoles se reflétaient dans les hauts miroirs encastrés dans les boiseries. L'éclat des fleurs rivalisait avec celui des surtouts en argent. La conversation roulait sur les sujets les plus légers et nous nous amusions tous.

Lorsque nous retournâmes au salon, le sérieux reprit ses droits. Petit à petit, les entretiens privés cessèrent et tous se groupèrent autour de moi, pour m'écouter. Alors ma voix solitaire s'éleva. Je vaticinais avec d'autant plus de conviction que je savais que je ne les reverrais pas, car c'était ma dernière soirée et je partais le lendemain à l'aube. Leur attitude, leur attention me donnèrent le sentiment d'être une souveraine comblée d'égards.

Puis on me reconduisit dans ma chambre. Lorsque je me couchai, j'étais trop exaltée pour trouver tout de suite le sommeil. Demain, je rentrerais chez moi. La fatigue du voyage m'accablerait, et quand je me mettrais au lit, ce serait pour ne plus le quitter. Bientôt la mort viendrait me cueillir sans que j'aie bougé de ma chambre. Cette mort, que de fois je l'avais composée, mise en scène. Je serais étendue sur mon lit, la tête soutenue par une pile d'oreillers. Je ne porterais ni chemise de nuit ni bonnet, mais ma robe préférée, la bleue au col blanc, et je me serais fait coiffer. Je déclinerais entourée de quelques familiers, dans une atmosphère de sérénité à la fois heureuse et mélancolique. Dehors dans le parc, mes lecteurs, mes admirateurs attirés par l'événement imminent, attendraient ma fin avec angoisse. Sur la fenêtre serait posée une bougie qu'on soufflerait au moment où j'aurais exhalé mon dernier soupir, afin d'annoncer à tous que j'étais entrée dans les ténèbres éternelles. Sortie doucement, imperceptiblement de ce monde, je serais déjà loin. Ils me pleureraient alors que je me trouverais dans la lumière. Réconfortée par cette vision, je m'endormis.

Depuis plusieurs semaines, la belle saison avait fait éteindre le poêle, mais ce soir-là, comme il faisait frisquet et qu'on craignait pour ma santé, on avait rallumé le mien. Sans le nettoyer préalablement. Un feu de cheminée se produisit, qui se communiqua très vite aux soieries anciennes tendues sur les murs et aux boiseries. Lorsque je me réveillai, deux parois étaient déjà en flammes. Je criai, je sonnai, personne ne m'entendit. J'étais au fond de mon lit, incapable de bouger, et je voyais le feu croître et s'approcher. Alors toutes mes résolutions fondirent, tout ce que j'avais échafaudé sur la mort s'effondra, toute la confiance que j'avais pu éprouver disparut, et je me mis à hurler de peur et d'angoisse devant l'inéluctable. Dans ce moment d'horreur, une bénédiction du sort voulut que je meure non pas brûlée vive dans d'atroces souffrances, mais étouffée par la fumée. Les rideaux s'étaient enflammés lorsque je perdis conscience.

Le bruit finit par réveiller les maîtres de maison. Invités et serviteurs accoururent. La moitié de ma chambre était en flammes. On put maîtriser l'incendie. Il n'avait pas encore gagné mon lit, mais la chaleur intense m'avait racornie. La beauté que j'avais été n'était plus qu'un petit cadavre noirâtre et replié sur lui-même. Le hurlement de peur et d'angoisse que j'avais poussé en passant vers la lumière me priva d'une mort sereine.

La criminelle sans nom

Château de Niedzica
Galicie,
Pologne

— Dis-moi, Igor, n'aurais-tu pas dans ton pays un fantôme intéressant à me présenter ? demandai-je au sculpteur polonais.

— Lorsque j'étais étudiant à Varsovie, j'ai visité dans les montagnes du Sud un château hanté.

— Hanté par qui ?

— Par une princesse inca.

— Ne te moque pas de moi. Une princesse inca qui aurait échoué en Europe centrale, c'est impensable.

— Et pourtant. On raconte qu'elle aurait été enterrée dans un cercueil d'argent.

Je souris à la crédulité de mon ami.

— N'y aurait-il pas par hasard une histoire de trésor avec ta princesse inca ?

— Bien sûr. On parlait même d'un trésor immense, dépassant toutes les richesses imaginables, qui n'a jamais été retrouvé.

Malgré mon scepticisme, ces brèves indications étaient assez alléchantes pour que, guidés de loin par Igor, nous partions aussitôt sur les traces de cet insolite fantôme.

Ayant atterri le matin même à Cracovie, nous roulions depuis plusieurs heures en direction du sud, à travers une plaine soigneusement cultivée et doucement vallonnée. Nous obliquâmes vers le sud-est, et aussitôt des collines vinrent occuper l'horizon. D'épaisses forêts alternaient sur leurs pentes avec des prairies où poussait une variété infinie de fleurs des champs. Bientôt le paysage fut barré par la chaîne dentelée et enneigée des monts Tatares. Je ne vis aucune agglomération, sinon quelques hameaux figés dans le temps. Nous progressions dans une région écartée, ignorée, éminemment romanesque. Cette terre cuite et recuite d'histoire devait être peuplée de chevaliers, de fées, de sorcières et autres personnages de l'extraordinaire. La route se rétrécissait, montant de plus en plus abruptement en rudes virages lorsque, soudain, nous vîmes se dresser au loin le château de Niedzica. Une pyramide de forêts et de collines supportaient ses remparts impressionnants, surmontés par l'énorme donjon carré qui s'élevait très froid, très haut. Les environs paraissaient si désolés que je m'attendais à chaque instant à voir surgir d'entre les arbres serrés le carrosse du comte Dracula. Ne nous trouvions-nous pas, en effet, dans les contreforts des Carpates où il avait sévi ? Nous arrivâmes au château pour découvrir un des plus sinistres legs du communisme. De l'autre côté de l'éminence sur laquelle il était bâti, tout au fond de la vallée, un barrage monstrueux se construisait qui déjà avait violé et enlaidi cette région merveilleusement préservée et qui, une fois achevé, la défigurerait complètement.

Cependant, le modernisme s'arrêtait à la porte de la forteresse et je crus entrer de plain-pied dans un passé épais lorsque, au soir tombant, nous pénétrâmes dans la grande cour irrégulière, en partie bordée d'arcades qu'envahissaient les ombres. Le conservateur Sergiusz Michalcruk, qui nous y accueillit, fit l'historique des lieux.

Depuis le Moyen Âge, deux châteaux forts montaient la garde sur la frontière. Celui de Czosztyn en Pologne sur la rive gauche du Dunajac, l'autre, celui de Niedzica en Hongrie, sur la rive droite. Au cours des guerres, des invasions, des partages, ils passèrent de main en main, d'un pays à l'autre. Le château de la rive gauche, resté propriété de l'État, tomba en ruine. Celui de Niedzica, ayant été vendu à des particuliers, prospéra. Il avait appartenu pendant des siècles aux Benesh, illustre famille de la région, dont à la fin du XVIIIe siècle le chef se prénommait Sébastien. Cet homme entreprenant jugeant peut-être les distractions de sa province par trop limitées, la quitta, pour mener une vie d'aventure. Afin d'arrondir son pécule, il se fit pirate. On ne sait à peu près rien sur cette période de sa vie, qui dut être aussi colorée que répréhensible. Ce fut cependant un homme fort riche qui, au bout de quelques années, débarqua au Pérou, alors colonie espagnole. Il y épousa une princesse inca, dont il eut une fille, Umina. Ils vécurent heureux et virent grandir leur enfant dans la sagesse et la prospérité. Ayant atteint l'âge adulte, cette dernière épousa à son tour un prince inca de ses cousins, Tupaka Umaru. Sébastien Benesh eut le temps de voir naître son petit-fils avant que les choses ne se gâtent. En effet, la population indienne se révolta contre l'occupant espagnol. Il fut question d'un immense trésor, peut-être celui-là même que deux siècles plus tôt les Incas acheminaient vers Pizarro et qu'ils firent prestement disparaître lorsque celui-ci pendit le Grand Inca. Comme on pouvait s'y attendre, les Espagnols eurent le dessus et écrasèrent la révolte.

La famille de Sébastien Benesh y avait certainement participé d'une façon ou d'une autre, car elle subit la conséquence de la défaite des Indiens. De la femme de Sébastien on n'entendit plus parler, mais lui-même avec sa fille Umina, son gendre et son petit-fils se virent forcés de s'enfuir. Ils revinrent en Europe. A Venise, le gendre, Tupaka Umaru, fut assassiné par des sbires.

Sébastien et Umina ne doutèrent pas que les Espagnols ne fussent sur leurs traces. Ils se réfugièrent à Niedzica. Au moins, dans cette province dont une grande partie leur appartenait, au milieu de leurs féaux, ils seraient en sécurité. Les séides des Espagnols se glissèrent cependant jusque dans le château et assassinèrent Umina dans la grande cour où nous nous trouvions, devant la porte de la nouvelle chapelle. Sébastien n'eut que le temps d'ensevelir sa fille sous le sanctuaire avant d'échapper lui-même à la mort.

Il se retira dans un monastère de Cracovie où il décéda de sa belle mort. Entre-temps, pour protéger son petit-fils, il l'avait expédié en Moravie, à Krumlak, où les Espagnols ne pourraient parvenir à le dénicher. Umina, en débarquant à Niedzica, avait bien rapporté trois énormes coffres qu'elle avait fait enterrer quelque part sous les rochers de la montagne par les esclaves indiens qui l'avaient accompagnée et auxquels elle avait fait jurer le secret. Ses serviteurs avaient aussi remarqué qu'elle ne se séparait jamais d'un tout petit objet, une boîte en forme de tuyau et longue d'une dizaine de centimètres, qui paraissait à ses yeux avoir une valeur considérable et qu'on ne retrouva pas sur son cadavre. Leur forfait exécuté, les Espagnols disparurent sans avoir découvert ni l'objet ni les coffres.

Le petit-fils de Sébastien grandit dans un anonymat protecteur en Moravie. Il y épousa une Polonaise, se fit adopter par son beau-père et s'engagea dans les armées napoléoniennes où il eut une brillante carrière et se tailla une belle réputation de courage. Jamais il ne revendiqua le trop dangereux héritage de son grand-père ni ne revint à Niedzica. Il fit souche, et les Benesh de génération en génération en arrivèrent à la Seconde Guerre mondiale. A la fin du conflit, le dernier descendant de Sébastien Benesh se sentit mourir. Il convoqua son fils unique, Andrei, et lui confia son secret. Il avait caché derrière le maître-autel de l'église Sainte-Croix à Cracovie un document d'une signification essentielle concernant leurs ancêtres. Son père à peine enterré, Andrei Benesh courut chez le curé de l'église Sainte-

Croix qui était quelque peu son parent. Celui-ci lui ouvrit la cachette et en tira un vieux parchemin. Andrei le déchiffra et resta ébloui. Son ancêtre, la princesse inca, non seulement avait ramené un butin immense à Niedzica, mais elle possédait le secret de l'emplacement du fabuleux trésor des Incas, toujours recherché et jamais retrouvé depuis la conquête de l'Amérique. Ce secret était contenu dans la boîte en forme de tuyau qui ne la quittait pas.

Andrei commença par se renseigner sur l'État de Niedzica. Passé à la Pologne lorsqu'elle redevint indépendante à la fin de la Première Guerre mondiale, le château n'en demeura pas moins aux mains de ses propriétaires hongrois, les Salomon, qui avaient succédé aux Benesh. L'arrivée au pouvoir du régime communiste les en avait chassés et depuis le château avait été déserté et abandonné. Dieu sait quels arguments Andrei Benesh utilisa avec le service archéologique, mais lorsqu'il débarqua un beau jour de 1946 à Niedzica avec sa femme et ses amis, il exhiba l'autorisation de faire des fouilles au château. Il enrôla les paysans, les gendarmes, ainsi que le très jeune gardien du château, Franciszek Szydlak alors âgé de dix-huit, dix-neuf ans. Lui-même racontera l'histoire qui va suivre. Il a désormais atteint un âge vénérable, ses impressionnantes moustaches ont blanchi, mais il porte toujours la livrée hongroise rouge à brandebourgs d'argent qu'il endossait dans son adolescence pour servir les Salomon lorsque le château était encore propriété privée.

L'arrivée d'Andrei Benesh bouleversa la monotonie de son existence, et ce fut avec une intense curiosité qu'il observa ses manœuvres. Andrei mena son petit groupe devant le portail conduisant à la partie la plus ancienne du château. La pierre du seuil se trouvait être un énorme monolithe qu'il fit déplacer. Dessous on découvrit une petite boîte en forme de tuyau, à peine huit à dix centimètres. Andrei l'ouvrit et devant témoins en fit glisser le contenu. D'abord en tomba une poussière jaune. Certains crurent y voir de l'or, mais Franciszek reconnut à sa couleur un sable très particulier provenant des rives de la Vistule, très loin de Niedzica. Puis un objet insolite glissa dans la main d'Andrei, un bâtonnet d'où pendaient douze petites cordes nouées de nœuds. Andrei, qui parut inexplicablement informé sur l'objet, le nomma le *kipu* ; il expliqua que la disposition des nœuds sur les cordelettes servait de langage secret aux Incas. Franciszek remarqua que trois des douze cordes portaient de minuscules têtes d'or chargées de signes ésotériques, qui, selon Andrei Benesh, évoquaient chacune un lieu sacré où avait été dissimulé le trésor des Incas après avoir été divisé. « L'un est le lac Titicaca, affirma-t-il, l'autre la rivière Dunajac qui coule au pied du château, le troisième le lac de Vigo. » Il se trompait sur ce dernier point car il n'existe pas de lac de ce nom. Par contre, dans la baie de Vigo, au nord de l'Espagne, avait coulé au XVIIIe siècle un formidable trésor en provenance... du Pérou, dont seulement une infime partie avait été repêchée dans les années trente. Après avoir trouvé le kipu, Andrei repartit, pour revenir deux ans plus tard en 1948 avec un professeur, un étranger selon Franciszek. Il resta plusieurs semaines à Niedzica, fouillant l'intérieur du château, ainsi que les environs. Puis de nouveau il repartit.

Une quinzaine d'années plus tard, Andrei Benesh se retrouva grand ponte du parti communiste, c'est-à-dire que la puissance et l'argent étaient à sa disposition. Franciszek apprit qu'il montait une expédition en vue de faire des fouilles au Pérou. En particulier il enrôlait des plongeurs professionnels, et réunissait du matériel de fouille sous-marine. La veille de son départ, il se tua dans un accident de voiture. Et Franciszek de préciser que le père d'Andrei, en lui révélant le secret, lui avait bien recommandé de ne pas y toucher, car quelque chose d'étrange et de maléfique y était attaché.

L'histoire était à ce point extravagante que je voulais à toute force y croire, mais Sergiusz, le conservateur du château, joua les rabat-joie avec son scepticisme. Du parchemin trouvé derrière le maître-autel de l'église de Sainte-Croix, personne n'avait vu l'original. Benesh n'en avait montré que des copies, et les experts qui s'étaient penchés sur le document y avaient relevé assez d'erreurs pour faire soupçonner un faux. Le kipu, le code en nœuds de corde qui indiquait l'emplacement du trésor, bien des témoins l'avaient pourtant vu. Il avait d'ailleurs disparu depuis lors. Mais ces témoins étaient des paysans, des petits fonctionnaires de la région, et non des experts – Andrei Benesh pouvait très bien l'avoir fabriqué lui-même et l'avoir enterré sous le seuil du vieux château la veille du jour où il fut censé le découvrir. « Impossible, soutint le vieux Franciszek, j'étais là quand on a soulevé la pierre. J'ai même aidé à la soulever, et je peux vous assurer que rien n'avait bougé depuis des siècles. Et puis il y a eu ces morts inexpliquées. » Quelques semaines après la découverte du kipu, en effet, plusieurs des paysans et des policiers qui avaient participé aux fouilles moururent brutalement. Le conservateur du château ne nia pas le fait. Il l'enrichit même de nouveaux détails. Quelques années plus tôt, un habitant de Katowice lui avait écrit qu'étant en contact avec un voyant, celui-ci demandait les plans du château où, selon lui, il restait beaucoup à explorer. Le conservateur lui avait envoyé une photocopie de ces plans. Au moment où le voyant les avait dépliés sur sa table afin de les étudier, un arrêt cardiaque l'avait emporté. Et Sergiusz de raconter que son prédécesseur, le premier conservateur, s'était noyé dans le fleuve. Le second parti en voyage au Népal

n'en était pas revenu, sans qu'on n'ait jamais rien su de son sort. « Vous n'avez donc pas peur pour vous-même ? » lui demandai-je. Un instant, le regard de cet homme fin et accueillant, aux cheveux prématurément blanchis, se voila, puis il sourit mélancoliquement : « Si je suis encore vivant, c'est que je ne crois pas à cette histoire. »

Sans doute dit-il cela de façon que je soupçonne le contraire. L'énigme de Niedzica l'habitait visiblement. Nous en discutâmes pendant le dîner où il nous avait conviés dans la grande salle à manger du château. Dehors, la nuit achevait de tomber, et nous étions les seuls convives sous le plafond aux grosses poutres peinturlurées. Les archives devaient tout de même conserver la trace de la princesse inca, remarquai-je. Sergiusz hocha la tête. On n'avait trouvé trace d'elle dans aucun document. « Finissons-en, m'écriai-je. Elle n'existe donc pas ! – Ce n'est pas certain, car les archives malmenées sous le régime communiste, mal classées, ne sont même pas cataloguées et ont à peine été déchiffrées. » Je l'interrogeai sur les fouilles faites au château. Elles avaient été menées fort sérieusement, mais elles n'avaient rien donné. « Le cercueil d'argent de la princesse inca n'existe pas. Pas de cercueil, pas de princesse, conclus-je. – Impossible à dire, me rétorqua Sergiusz, car nous n'avons exploré qu'une faible partie du château. » Je me rendais compte que plus j'avançais à la recherche de la princesse inca, plus les ombres s'épaississaient. Son histoire était tellement étonnante qu'elle ne pouvait être tout à fait vraie ni avoir été inventée. Pour nous maintenir dans cette ambiance de mystère, Sergiusz proposa une visite nocturne des lieux.

Le château qui servait aussi pour des séminaires pullulait d'intellectuels. Plusieurs de ces érudits nous montrèrent les appartements d'invités où certains d'entre eux furent jetés au bas de leur lit au milieu de la nuit... bien sûr par la princesse inca. Le vieux Franciszek insista pour nous ouvrir les bureaux de la Conservation. Il se trouvait là, il y a plusieurs décennies, avec un ingénieur chargé de faire les relevés du château. Soudain, un vent s'était levé, si furieux qu'il avait enfoncé la porte de fer. Une boule de lumière était apparue se déplaçant à toute vitesse vers les deux hommes pour brusquement se transformer et prendre l'apparence d'une femme. Considérable fut la peur qu'avaient ressentie l'ingénieur et Franciszek devant cette manifestation de la princesse inca. Le soir, Franciszek avait raconté l'histoire à sa mère, ancienne femme de chambre des Salomon, du temps où le château appartenait encore à un particulier. Celle-ci, philosophe, lui avait confié que le phénomène s'était produit de nombreuses fois avant la guerre et qu'il fallait surtout ne pas s'en effrayer.

Pendant que nous rôdions d'aile en aile, à plusieurs reprises je me retournai vers l'énorme donjon quasi aveugle qui dominait de sa masse le château. Ma conviction grandissait que s'il y avait quelque chose, ce devait être à l'intérieur de ses murs épais.

Nous franchîmes le seuil du vieux château sous lequel Andrei Benesh avait découvert le kipu enterré. Après avoir exploré les oubliettes — dont j'étais sûr qu'elles n'avaient jamais servi pour un tel usage —, nous gagnâmes la « chambre des tortures », remplie d'instruments propres à exciter les imaginations les plus morbides. Puis nous montâmes jusqu'à un bâtiment plus récent, adossé au donjon. Une première pièce, blanchie à la chaux, dépouillée, sans atmosphère, ouvrait sur une seconde qui affichait sur ses murs une collection d'horloges populaires. Rien de plus gai que ce décor, et pourtant je commençai à éprouver une sorte de malaise. La troisième pièce de l'enfilade se situait dans le donjon, où on pénétrait ainsi par le premier étage. Elle faisait partie du musée populaire, et à l'intérieur des murailles médiévales était reconstituée une chaumière paysanne avec ses parois de bois, son toit bas, ses fenêtres, son mobilier, ses objets usuels. Ce décor familier et intime me faisait pourtant frissonner. J'éprouvais une impression forte et repoussante de sang, de violence. Qu'y avait-il au-dessus ? Des greniers. Nous y accédâmes par un étroit escalier de bois. Trois pièces l'une sur l'autre occupaient chacune un étage du donjon. Un bric-à-brac hétéroclite y était entassé, que recouvrait la poussière. Les trois pièces étaient hantées, mais moins puissamment, moins terriblement que la chaumière du premier étage. Je m'installai dans le grenier situé juste au-dessus.

Avec difficulté, je parvins à ouvrir une porte de bois vermoulu, coincée par les siècles. Elle donnait sur un balcon depuis longtemps effondré. La lune presque pleine me permettait de découvrir bien au-dessous de moi une succession de rivières, de prairies, de collines, qui formaient un paysage paisible et serein. Je m'assis sur un coffre bombé et commençai à attendre... Mon œil s'attarda distraitement sur des étagères chargées de poteries populaires, sur des tabernacles, des mannequins d'osier, des souvenirs de la Première Guerre. Malgré les éléments rassurants de ce décor, l'impression me revenait et grandissait, de violence, de sang, de flots de sang. Pourtant je n'avais pas peur car je me sentais bien accueilli... Il y avait quelqu'un dans la pièce, une femme. Sans aucun doute, ce n'était pas la princesse inca... La présence était beaucoup plus ancienne... Elle émanait du Moyen Âge.

J'appartenais à une famille immense par l'ancienneté, le prestige, la richesse, ce château n'étant qu'une de nos innombrables propriétés. Cependant, en nous coulait un sang vicié. J'étais issue d'une lignée d'êtres impitoyables qui commirent d'indicibles horreurs. Sauvages, indomptables, le spectacle des pires souffrances ne nous émouvait pas. Je vécus mes premières

années dans un cadre autrement civilisé que cette forteresse, dans des palais de grandes villes, dans des châteaux situés dans des régions plus riantes, plus peuplées, plus accessibles. Toute petite, j'aimais me glisser derrière les murs pour observer ce que je ne devais pas voir. J'en appris assez sur le désir, la perversité et les débordements pour être revenue de tout, avant même de commencer.

Très tôt, ma cruauté se manifesta. J'infligeais le mal à mes compagnons de jeu et inspirais autant l'attirance que la répulsion. Les petites filles me détestaient, certains gamins me fuyaient, d'autres se laissaient attraper par moi. Mon père secrètement se reconnaissait en moi, car il possédait une nature identique. Et il n'osait sévir, tant il était impressionné de savoir que sa personnalité la plus secrète se prolongeait en moi. Mes parents essayèrent néanmoins de me discipliner, mais durent vite y renoncer. Aussi me permit-on de grandir sans trop chercher à savoir ce que je deviendrais.

Parvenue à l'adolescence, on voulut arranger mon union avec un seigneur, de fortune et de rang égaux aux miens. Si inconcevable que cela parût à l'époque, je refusai le mariage qui, à mes yeux, n'était qu'une prison. Bien que personne n'eût jusqu'alors osé le faire, je tins tête à ma mère, à mon père, aux hommes de la famille. Personne n'eut le courage de protester, personne ne se risqua à me châtier.

J'avais toujours aimé Niedzica. Son isolement m'attirait. Ma famille fut trop contente de me l'attribuer, c'est-à-dire de m'expédier le plus loin possible. En m'installant en ce lieu, je compris que j'y avais été amenée par quelque force mystérieuse, car mes instincts se libérèrent dans toute leur exaspération.

Il existait dans une aile du château des appartements réservés aux seigneurs de ma famille. Je préférai emménager dans le donjon qui n'était qu'un instrument de défense et je le transformai à mon goût. Je fis peindre les plafonds et les poutres, tendre des tapisseries sur les murs et dérouler des tapis précieux sur les parquets rugueux. Que de fois me suis-je tenue sur le petit balcon pour contempler le paysage ! À peine un village avec quelques masures, des forêts, des prairies surtout, et point de routes. Que n'ai-je fait pour entretenir, pour respecter cette nature si belle, si attirante au milieu de laquelle je trouvais l'assouvissement !

Quotidiennement, j'enfourchais un cheval et je partais pour des courses effrénées dans les collines et les forêts. Je savais que des bandes de brigands s'y terraient, qui auraient pu attenter contre moi. Cette certitude m'aiguillonnait. Je fouillais de mes éperons les flancs de ma monture, jusqu'à parfois la ramener exténuée au château et la voir, quelques instants plus tard, mourir d'épuisement dans la cour. J'exigeais d'elle qu'elle me porte comme le vent. Si elle ne le pouvait pas, elle devenait inutile. Pourtant, j'aimais les animaux et si à la chasse je tuais, c'était pour manger et donner à manger, pour survivre. En revanche, jamais je n'aurais fait de mal à un chien et je soignais avec amour mes oiseaux en cage.

Les hommes n'étaient pour moi qu'un moyen de calmer mon ardeur. Lorsque l'un d'entre eux m'attirait, je le conduisais à mon lit. Aucun n'y restait longtemps. Je ne leur en voulais pas. Je savais bien que j'en trouverais d'autres.

Ce ne fut pas l'orgueil qui m'autorisa tous les excès mais ma nature. J'eus pour seul devoir de lui obéir et de ne jamais lui résister, car elle avait toujours raison. J'étais ivre de liberté, d'espace, d'extrêmes. Pour moi, la liberté se confondait avec les extrêmes. Ne jamais reculer même devant le danger, telle fut ma loi, car autour de moi, les dangers foisonnaient.

Lorsque la guerre se déchaîna dans notre province, et que les ennemis approchèrent, j'organisai la défense de Niedzica. Observant leur avance, je les vis longer le fleuve, contourner la forteresse qui monte la garde sur l'autre rive. Ils nous assiégèrent et des semaines durant nous résistâmes. Le château finit par tomber entre leurs mains. Au dernier moment, je m'échappai par un souterrain qui en partie existe aujourd'hui encore. Les ennemis avaient envahi les cours et le donjon. Les soldats restés à le défendre s'étaient barricadés dans la pièce la plus haute de l'édifice. Finalement, ils succombèrent sous le nombre et furent massacrés, éclaboussant de sang ces murailles jusqu'alors vierges de tout drame. Peu de temps après, notre roi envoya une armée libérer le château. Lorsque j'y revins, ce fut pour trouver mes appartements maculés de taches pourpres...

J'aimais tuer. Je ne torturais jamais moi-même. Mais j'ordonnais à d'autres de s'en charger tandis que j'observais chacune de mes victimes, avide de comprendre par quels secrets mécanismes la vie bascule dans le gouffre de la mort. Ou de l'éternité. Je voulais voir ce moment approcher, et tâcher d'en percer le mystère. Je voulais aller jusqu'au bout du savoir, de la puissance, de la cruauté aussi. En même temps, je m'infligeais une terrible épreuve. Malgré la barbarie de mes actes, je ne pouvais supporter la vue du sang. Dès l'enfance déjà cela me rendait malade, alors je décidai de vivre dans le sang pour dominer ma frayeur. Probablement ai-je dépassé la mesure ; mais je n'ai jamais aimé la mesure, pour moi assimilée à la médiocrité.

Ma vie durant, je commis l'horreur. Le crime était mon compagnon, le sang que je répandais mon ami. Devenue fantôme, j'ai éprouvé le besoin de raconter pour échapper à la solitude où m'enferme mon secret.

Cependant, une rebelle comme moi n'était pas à l'abri, et le danger que toute ma vie j'avais courtisé rampait autour de moi. Les paysans parlaient de moi entre eux. L'un d'eux, peut-être plus aisé, se rendit à la ville à l'occasion d'un marché ou d'une foire et répéta ces racontars. La nouvelle se répandit dans la petite ville, puis sauta de là dans un centre plus important, peut-être la capitale de la province, d'où elle atteignit celle du royaume. Une enquête fut ordonnée. Un jour je vis arriver plusieurs cavaliers portant le fanion royal. Ils étaient accompagnés d'un juge moulu par cette longue chevauchée, furieux d'avoir été nommé pour cette mission, déjà prévenu contre moi.

Il me fallut bien le recevoir. Je n'allais cependant pas m'abaisser à répondre aux questions de ce manant, même s'il représentait la justice royale, et je refusai de comparaître devant lui. Je quittai Niedzica, je me rendis dans un château que nous possédions dans la région. Sans façon, le juge s'installa dans mes appartements du donjon. Il y convoqua mes employés pour recueillir leurs dépositions. Il ignorait que je le surveillais. Je revenais en effet secrètement au château. J'avais le don de me déplacer, presque invisible, et, tel un félin, je me glissais dans quelque cache sans être vue et je l'observais, je l'écoutais questionner. Bien que mes serfs refusassent de dénoncer leur maîtresse, il leur faisait dire cela même qu'ils s'étaient juré de taire. Je savais qu'il épaississait son dossier, et que dans les paperasses qu'il entassait sur sa table se trouvait ma perte. J'aurais pu le faire disparaître sur place ou alors, lorsqu'il serait reparti, le faire agresser dans la forêt et le tuer ainsi que les gardes royaux. Peut-être m'aurait-on soupçonnée, mais nul n'aurait osé pousser plus loin les investigations. J'ai cependant laissé faire. Laisser parler la nature, c'est aussi laisser parler le destin, et en pleine connaissance de cause, j'ai accepté que le mien se noue presque sous mes yeux.

Un jour, je suis revenue à Niedzica. Aussitôt il me fit arrêter. Là encore, j'aurais pu appeler à l'aide mes paysans, là encore je n'intervins pas. Il me fit enfermer au premier étage du donjon, dans cette pièce qui sert aujourd'hui de musée populaire.

A lui seul, il s'érigea en tribunal. Il voulut que je sois jugée dans mon propre château avec toute la pompe de la justice royale et siégea dans ma chambre préférée, celle qui ouvrait sur le balcon où si souvent je m'étais tenue. Les témoins, les principaux employés du château et du domaine, constituaient la vox populi, élément important de la justice de mon temps, organisée en corps légal. Lorsque je comparus devant lui entourée de ses gardes, je me réveillai, je réagis. Je lui déclarai qu'il n'avait aucun droit de me juger. Il sortit de sa manche un décret royal lui accordant les pleins pouvoirs. Il motiva cette exorbitante entorse à la justice par l'isolement des lieux, la nécessité de mettre fin au plus vite à mes exactions, et l'impérieux devoir de m'empêcher de fuir. Il me lut les dépositions de mes serviteurs. Elles étaient accablantes. Je sentais derrière moi la présence de ces hommes, de ces femmes qui savaient tout de moi. Peut-être désapprouvaient-ils mes actions, mais pendant tant d'années ils m'avaient servie loyalement, sans question, sans crainte. Je crois avoir été une suzeraine équitable. Pour la première fois, cependant, je sentis qu'ils portaient un jugement sur moi. Je me tenais debout devant la table derrière laquelle le juge était assis et je le fixais pendant qu'il récitait ma condamnation à mort. Aussitôt après, il demanda aux assistants de se prononcer. Je tendis l'oreille mais rien ne vint. Alors je me retournai, et je les regardai. Ils baissèrent d'abord les yeux, puis la tête. Et le juge écrivit que la vox populi approuvait la sentence.

Il se doutait cependant que tout ne serait pas aussi simple. Si l'on m'emprisonnait, ma famille, même au courant de mes crimes, interviendrait auprès du souverain pour me faire gracier. Et si l'on me menait dehors pour m'exécuter publiquement, une réaction de la population pouvait se produire. Alors il ordonna de m'exécuter sur l'heure, dans la pièce qui m'avait servi de prison éphémère.

Les gardes me ramenèrent dans la salle qui aujourd'hui sert de musée populaire. On me fit agenouiller. Comme il n'y avait pas de billot, je dus poser la tête de côté sur un coffre. On me releva les cheveux. Il ne se trouva pas de mouchoir pour me bander les yeux. Le soldat désigné comme bourreau n'était pas entraîné à ce genre de travail. L'arme requise manquait aussi. Il se servit d'une hallebarde destinée plutôt à être maniée comme une faux et non comme une épée tranchante. Effrayé par sa lugubre tâche, tremblant, encombré par cette pesante arme de guerre, mon bourreau manqua le premier coup. Il dut s'y reprendre à plusieurs fois, frappant à l'épaule, au bras, à la nuque. Les douleurs étaient atroces, mais je me refusais à mourir, et pour m'achever les autres gardes, armés de leur poignard, durent venir à la rescousse de leur camarade. Certains, pourtant des vétérans, étaient au bord de la nausée, d'autres ivres de sang.

J'ai tenu à ce que mon exécution soit connue dans ses détails, pour me venger de ceux qui m'ont tuée, et surtout pour faire oublier, dans l'horreur de ma mort, celle de mes victimes. Après que j'eus fait couler des flots de sang, il n'en restait plus qu'un à répandre, le mien.

Jamais le juge ne se remit du spectacle atroce et, sa vie entière, fut hanté par le remords. A peine pourrait-on retrouver dans les archives, dans les chroniques, une brève mention de mon exécution. Car ma famille obtint du souverain que le procès ne soit pas enregistré afin que même condamnée je ne perde pas ma noblesse ni mon rang, et que la honte n'en rejaillisse pas sur les miens. Niedzica, qui ne m'avait jamais appartenu, leur revint. Ainsi réussirent-ils à effacer jusqu'à mon souvenir.

Plusieurs siècles plus tard, il y eut un Sébastien Benesh qui partit faire fortune au Pérou. Il ne dut pas y réussir puisque sa vie resta fort obscure. Cependant une de ses filles vécut à Niedzica. A cause du séjour de son père aux Amériques et peut-être aussi parce qu'elle y était née, on l'avait surnommée la « princesse inca ». Elle n'eut rien à voir avec le trésor qui, pourtant, existe en ce château. Beaucoup plus ancien qu'elle, beaucoup plus ancien que moi, il y est toujours. Il comprend de l'or, des pierreries, mais sa richesse matérielle n'est pas sa seule valeur. Dès sa constitution, des manipulations savantes inspirées par les plus sombres arcanes de la magie octroieront à ces précieux objets de puissantes facultés qui assureront à ceux qui les possédaient le pouvoir absolu. Il appartenait à une sorte de franc-maçonnerie qui existait depuis les débuts de l'ère chrétienne. Puis, ayant achevé de servir, il fut enterré car il eût été trop dangereux de le détruire. Des bribes de son secret parvinrent jusqu'au XXe siècle, poussant certains à venir le chercher à Niedzica. Tel Andrei Benesh. Il avait trouvé dans l'église Sainte-Croix de Cracovie un docu-

ment rédigé par les maîtres du trésor, lui apprenant son existence et les moyens de l'atteindre. Ayant fait des recherches sur l'historique du château, il « rencontra » cette lointaine ancêtre surnommée la « princesse inca » et il inventa de toutes pièces — pour dépister d'autres amateurs de trésor — l'extravagante épopée de cette descendante du Grand Inca venue mourir au fin fond de la Pologne. Le kipu exista bien, apporté avec d'autres objets folkloriques par la « princesse inca », mais n'avait rien à voir avec le trésor.

Moi aussi je l'ai cherché. Un jour un homme vint à Niedzica, demandant à faire des fouilles dans le château, mais sans vouloir me dire son secret. Je le fis parler par mes moyens habituels. Il avoua. Je découvris ainsi que pour arriver à ce secret, il fallait percer une énigme. Cet homme la connaissait mais ne l'avait pas élucidée. Je décidai de réussir là où il avait échoué. La volonté de vaincre me poussait plus que le goût du lucre. De même ceux qui cherchèrent ce trésor, étaient plus attirés par le mystère que par le trésor lui-même.

Or, pour décrypter son code il fallait posséder une forme d'intelligence bien particulière — proche, selon certains experts, de la folie. Par ailleurs, la magie noire avait à l'origine donné sa coloration, son pouvoir à ce trésor, la magie noire imposait ses pratiques pour parvenir à lui. Immanquablement, elle retournait contre ceux qui s'y hasardaient les forces redoutables qu'ils avaient ainsi déchaînées. En me plongeant dans l'énigme, j'attirai sur moi la foudre. De même, bien après moi, Andrei Benesh qui périt tragiquement. D'autres sont morts pour les mêmes raisons et si je n'en dis pas plus, c'est pour protéger ceux qui m'écoutent. Ce château pourra s'écrouler, entraînant dans sa ruine son secret, mais le trésor ne sera jamais trouvé car il ne le faut pas.

Un scandale secret

Zaraus
Espagne

« Le climat est quelque peu humide mais sain, tempéré et plaisant... Les rhumatismes, les hémorroïdes, les rhumes et quelques maladies de cœur sont presque les seuls maux chroniques qu'on observe. Il faut noter à propos de ces dernières la grande influence qu'exerce sur leur multiplication les rudes travaux qui occupent la majorité de la population. Nonobstant, on y compte un nombre considérable de personnes qui parviennent à quatre-vingt-dix et même cent ans. »

Cette sympathique description due à un dictionnaire géographique du milieu du XIXe siècle rendait alléchante cette partie du Pays basque où nous débarquions. Cependant, dès qu'apparut au tournant de la route la petite station balnéaire de Zaraus, elle ne me parut guère évoquer la présence du surnaturel. Bien sûr, les fantômes peuvent se nicher partout, mais je craignais qu'ils ne soient guère inspirés par ces modestes et banales constructions de bord de mer, tristement alignées le long d'avenues rectilignes, ni par ces villas récentes qui se disputaient la palme du mauvais goût. Pourtant, quelque part se cachait le palais de Narros. « C'est à droite de la route, la dernière maison du village. Vous n'aurez qu'à demander, tout le monde la connaît. » Au mieux, j'imaginais une grande villa arts déco, aussi ce fut avec une surprise mêlée d'enchantement que Justin et moi nous découvrîmes, après un dernier immeuble de béton, un jardin clos planté d'arbres très droits et très hauts entourant une vaste demeure mi-forteresse mi-manoir. La façade en pierre ocre lourdement blasonnée remontait à n'en pas douter au XVIIe siècle.

Nous sonnâmes à l'épaisse porte en bois clouté. Ce fut doña Feli Odrio-folla en personne qui nous ouvrit. Cette dame aux formes opulentes respirait l'autorité et les formules d'une délicate courtoisie qu'elle employa pour nous accueillir ne dissimulaient pas pour autant la force de sa personnalité. D'emblée elle se lança dans un flot de paroles et j'appris ainsi qu'elle était depuis vingt-huit ans la gardienne de cette vieille demeure. Gardienne et peut-être bien aussi quelque peu maîtresse des lieux lors des absences des propriétaires. La gloire de la famille qu'elle servait si fidèlement la remplissait de fierté, non sans raison car les ducs de Villahermosa représentent une des plus vénérables, une des plus anciennes maisons d'Espagne. A lire leur histoire, on est confronté à une formidable accumulation de hauts faits, de dynasties royales, de personnages célèbres, de châteaux, de collections, de titres.

Avec orgueil, doña Feli nous montra les ancêtres de tous les siècles accrochés aux murs. Ce marquis de Narros, par exemple, qui arborait dans son cadre ce même habit de soie abricot que doña Feli extrayait d'un coffre ouvragé. Ou cette comtesse de Bureta, vêtue en paysanne, brandissant comme un sceptre une lourde escopette et qui fut une des héroïnes de la résistance contre les Français de Napoléon. Hélas, sur les murs de plusieurs salons s'étalaient des cadres vides dont les toiles avaient été cambriolées.

Nous longeâmes ensuite le patio couvert, égayé par nombre de fleurs en pots et par des bougainvilliers, nous traversâmes encore plusieurs salons vieillots avant de déboucher sur le paysage le plus inspirant. A nos pieds, une plage immense de déroulait jusqu'à l'océan couleur de jade. C'était l'anniversaire du club sportif local, et cinquante-deux équipes d'amateurs se disputaient vingt-six matches de football, admirées par toute la population. Le bruit produit par cette foule aurait fait fuir n'importe quel fantôme.

Les sous-sols où nous entraîna doña Feli m'intriguèrent. Ils apparaissaient trop subtilement agencés, et trop élégamment construits pour avoir servi de caves. Peut-être nous trouvions-nous au rez-de-chaussée d'une construction beaucoup plus ancienne. Comme l'écrivait le chroniqueur, l'origine de cette maison se perdait dans la nuit des temps. « Avant qu'il y eût Zaraus, il n'y avait que Zaraus », affirmait sa devise. Siège d'un majorat dès le haut Moyen Âge, centre d'immenses propriétés, le palais de Narros était considéré comme la plus ancienne maison noble de la province. Ses propriétaires ayant toujours servi la Couronne, il fut le théâtre des guerres contre les Arabes, les Anglais, les Français. Il devint même au XIXe siècle éphémère palais royal lorsque la reine Isabelle II y établit sa résidence d'été. Ce fut dans le palais de Narros que la souveraine fut obligée bien malgré elle de reconnaître officiellement le tout nouveau royaume d'Italie. A cette occasion, elle reçut dans un salon du premier étage l'envoyé des Savoie, le duc d'Aoste… qui, quelques années plus tard, après plusieurs révolutions et coups d'État, allait la remplacer sur le trône d'Espagne. L'encrier en vermeil et filigrane qu'elle utilisa pour signer l'acte solennel est toujours resté sur place.

Nous visitâmes l'étage côté parc. Dans un salon où s'alignaient les portraits des saints de la famille ducale, plusieurs effigies d'Ignace de Loyola rappelaient qu'il était un de ses ancêtres les plus fameux. Puis, nous pénétrâmes dans une chambre à coucher, tendue de bleu et plus austèrement meublée que les autres. « C'est ici qu'il apparaît, le Dracula », cracha doña Feli, qui n'avait pas l'air de le porter dans son cœur. Avec beaucoup d'imagination, j'aurais pu croire que des cadavres étaient dissimulés dans les placards, mais je me demandais comment « le Dracula », si Dracula il y avait, avait pu résister à l'autoritaire doña Feli. D'ailleurs, elle manifestait une certaine réticence à parler de lui. Sa ravissante fille, Mirem, qui nous avait rejoints, évoquait beaucoup plus librement que sa mère des habitants de l'au-delà.

Il y avait très longtemps, raconta-t-elle, un naufrage eut lieu une nuit de tempête, juste au large de Zaraus. Un homme réussit à nager jusqu'à la plage, seul rescapé du désastre. La famille le recueillit et l'hébergea au palais de Narros. Il fut logé dans cette chambre où nous nous trouvons, dite la « chambre bleue ». Bientôt cependant, le village commença à murmurer contre l'inconnu. Ce serait un hérétique, un protestant échappé des guerres civiles qui ravageaient la France. D'autres affirmaient qu'il n'était même pas chrétien. De toute façon, il était mal vu qu'il continuât à vivre à Zaraus. L'étranger avait beau affirmer qu'il était bon catholique, la méfiance des villageois ne cessait de croître, jusqu'au moment où il tomba malade. Il se coucha dans le vaste lit de bois sombre ouvragé que je contemplais aujourd'hui et entra bientôt en agonie. Il fallut bien alors faire venir le curé pour lui administrer les derniers sacrements. Aux portes de la mort, il ne put maintenir son mensonge et cracha sa haine de la religion du Christ. Aussitôt, une langue de feu sortit du mur et courut d'un bout à l'autre de la maison. L'homme mourut, emportant avec lui son mystère. Mais où donc l'enterrer ? Surtout pas dans le cimetière, répondirent en chœur les villageois. La famille dut œuvrer en secret et nul ne sut jamais ce qu'était devenue la dépouille de l'inconnu. Selon des versions contradictoires, il aurait été enseveli sous la croix de pierre qui s'élevait dans le jardin, ou bien dans une des parois du salon voisin de sa chambre, ou encore son corps aurait été rejeté à la mer…

Personne n'avait aimé de son vivant l'hérétique sans nom. Personne ne

l'aima après sa mort, surtout lorsqu'il commença à se manifester au palais de Narros. Sa légende, étayée par des récits horrifiants, traversa les siècles jusqu'au début du nôtre, lorsque le père Coloma vint étudier in situ son cas. Le religieux voulut à tout prix passer une nuit dans la « chambre bleue ». Minuit venait de sonner et il méditait, lorsque, dans le salon voisin dont la porte de communication était ouverte, une boule incandescente tomba du plafond, glissa dans la chambre hantée jusqu'aux pieds du prêtre, fit un trou dans le parquet et disparut au rez-de-chaussée, laissant derrière elle une forte odeur de brûlé qui, de nos jours encore, traîne dans la pièce. Le père Coloma devait se faire un nom en littérature avec *La Chambre bleue*, le récit romancé de cette expérience.

Plus tard, un autre prêtre, le père Pilon, un exorciste cette fois-ci, armé du matériel très sophistiqué d'un véritable chasseur de fantômes, vint dans la chambre hantée procéder à des enregistrements. Les bandes, lorsqu'elles furent décryptées, firent entendre des phrases incompréhensibles, ainsi qu'une voix féminine. La famille ducale fut certaine qu'il s'agissait de « tante Germaine », une ancienne gouvernante qui avait réussi à se faire épouser par le marquis de Narros. Elle était française, fort belle, et artiste de surcroît. Elle s'était engagée dans la Résistance et son courage lui avait valu les honneurs militaires, mais sa noble belle-famille la soupçonnant d'arrivisme gardait ses distances vis-à-vis d'elle.

Les années s'écoulèrent, les exorcismes du père Pilon et de la Française furent oubliés. Il y a une dizaine d'années, trois des petits enfants de la duchesse de Villahermosa, des triplés, deux garçons et une fille de sept ans, passaient leurs vacances au palais de Narros. A plusieurs reprises ils affirmèrent, à leur gouvernante d'abord puis à leurs parents, avoir vu une belle et grande dame en robe longue se promener dans la galerie qui, au premier étage, fait le tour du patio. On haussa les épaules. Ces enfants, pensa-t-on, avaient trop lu de contes terrifiants ou trop regardé la télévision. Là-dessus, une petite cousine du même âge déclara avoir aperçu la dame. Peut-être, après tout, la Française revenait-elle pour se venger d'une famille qui l'avait ignorée. Cependant, aux questions qu'on lui posa, la petite fit du fantôme une description qui ne correspondait pas à « tante Germaine ». D'ailleurs, la tradition voulait que le fantôme de la maison fût un homme, le fameux huguenot naufragé. La petite fille fut donc soupçonnée d'avoir tout inventé et on n'en parla plus.

A la chambre du Dracula, je préférais celle dite de la reine Isabelle. On avait fait des frais pour la visite de la souveraine et c'était certainement en son honneur qu'on avait commandé l'extravagant mobilier, du plus pur style baroque du XIXe siècle, en bois sombre incrusté sur toutes les coutures de perles façon corail. Un imprimé framboise à grandes fleurs rendait la pièce encore plus pimpante et le grondement de l'océan, qui entre-temps avait recouvert la plage et chassé les bruyantes équipes de football, ne lui enlevait pas une sorte de gaieté sereine. La maison était sans aucun doute hantée, mais elle n'en accueillait pas moins cordialement le visiteur, elle l'entourait, le choyait, l'invitait à rester. Ainsi éprouvais-je dans la chambre de la reine Isabelle un extraordinaire bien-être.

Le pâle soleil d'hiver qui brillait dehors ne suffisait pas à justifier la température élevée de la pièce. Une autre chaleur y régnait. Une chaleur purement humaine qui me caressait, qui m'enveloppait. Enfin, dans l'air flottait un parfum d'amour. Je pensai à la reine Isabelle dont le tempérament volcanique avait défrayé la chronique. C'était pourtant une autre femme qui s'insinuait dans mon esprit, une femme grande, mince. Je savais qu'elle était très belle, sans parvenir à distinguer ses traits. Du velours brodé et rebrodé d'or la caparaçonnait de la tête aux pieds. De lourds joyaux et une large fraise encadraient son fin visage. D'après ses vêtements, elle devait avoir appartenu à la cour du roi Philippe, II, III ou IV. Mais que faisait-elle en tenue d'apparat dans cette campagne éloignée ?

Autrefois, dans des temps bien reculés, un grand sage habitait ici, un homme de savoir et de bonté. Il était venu de très loin, il avait longtemps marché, guidé par une force, par une étoile qui lui avait indiqué cet endroit. Séduit par sa beauté, sa sérénité, il s'y installa. Il y construisit un ermitage de fortune, et chaque jour, par sa prière, répandit sur ce site alors désert sa bénédiction. Quelques religieux, tout au plus quatre ou cinq, que son renom avait attirés, lui succédèrent après sa mort. Ils bâtirent un petit couvent autour du puits qui se trouve aujourd'hui au sous-sol du palais. Dans un atelier bien artisanal, bien primitif, ils fabriquaient des remèdes à base d'herbes médicinales, de fruits et de légumes. Ils ne les vendaient pas, mais les donnaient en échange de quelque nourriture apportée par les paysans de la région.

Puis les religieux disparurent et les bâtiments tombèrent en désuétude. Bien que ce lieu demeurât abandonné des siècles durant, des villageois, simples dans leur piété, et profondément informés malgré leur ignorance, en comprirent le langage occulte et maintinrent sa réputation hautement bénéfique. Les ancêtres des actuels propriétaires passèrent ici, quasiment par hasard et, sur la foi de cette rumeur, crurent que cette terre recelait des trésors. Ils construisirent un château sur cette illusion, sans savoir que le trésor était dans l'âme et non point dans la terre sous forme de mines précieuses. Ils utilisèrent les structures bâties naguère par les religieux et en firent la cave de la présente maison. S'attendant à trouver monts et merveilles, et ne découvrant que le

grondement de l'océan et le sifflement du vent, ils furent déçus et maudirent les paysans qui les avaient trompés. Mais le château, lui, était bien là et il fallait y venir de temps en temps, surtout depuis qu'ils avaient acquis de vastes territoires alentour. Ainsi défila en ces lieux une succession de Grands d'Espagne. Certains en captèrent l'essence, d'autres pas, mais tous curieusement aimèrent cet endroit où une erreur d'interprétation les avait attirés.

Un jour, le fameux naufragé apparut. Ce n'était point un protestant mais un musulman, un pirate, de ceux qui infestaient à l'époque les mers. Une puissance diabolique l'habitait qui lui permit d'être le seul à survivre. Les autres membres de l'équipage périrent et payèrent pour lui. Tel l'ermite, il ne s'était pas interrogé pour connaître les raisons qui l'avaient poussé en ces lieux, mais à peine arrivé, il comprit que son but était d'en détruire la sérénité. Il oubliait de compter sur leur force bénéfique qui, si elle revitalise l'homme de bien, brûle jusqu'aux fondements de l'âme l'homme de mal. Le pirate vit sa puissance neutralisée, lui-même fut détruit. Il mourut, et son corps fut rejeté à la mer d'où il était venu.

Un siècle plus tard environ, je possédai ce palais. J'étais fort grande dame et à la Cour je tenais haut rang. Mon mari était sérieux, travailleur, peut-être pas très amusant mais généreux et, pour un homme de sa condition, particulièrement charitable. Je le chérissais, lui et mes enfants, j'aimais ma vie, j'aimais les différents châteaux et manoirs où l'inspection de nos propriétés nous ramenait régulièrement.

Dès le début de mon mariage, je fus attirée par cette maison-ci, bien qu'à l'époque elle se trouvât au bout du monde et que nous y fassions de trop rares séjours. Nous étions accompagnés d'un nombre considérable de domestiques et une véritable cour en réduction s'y entassait, au point que nous y vivions les uns sur les autres. Aussi je préférais m'échapper. J'envoyais promener mes vertugadins, mes cols godronnés, mes velours brodés que je portais lors des cérémonies de cour ou pour les portraits officiels, et je courais dans le verger cueillir des fruits ou dans les champs humer l'odeur des blés.

Un jour, je flânais sur la route de terre, ne pensant à rien. Un vent léger soufflait, le soleil jouait avec les nuages, car ici le temps change rapidement. Il y avait des arbres fruitiers et des buissons fleuris bordant les prés, et je marchais légère, heureuse. Un homme s'avançait dans la direction contraire. Nous nous croisâmes, nous dévisageant un bref instant, et en un éclair je compris que j'étais perdue.

Rien n'aurait dû nous rapprocher, et pourtant, un simple regard avait suffi à nous embraser l'un et l'autre. Nous fûmes les victimes plutôt que les incitateurs de cette passion contre laquelle nous ne pouvions lutter. Quoi de plus beau que deux êtres qui s'enflamment, qui s'unissent, prêts à tout sacrifier l'un pour l'autre. Je sais combien ces amours peuvent se révéler désastreuses. Loin de jaillir d'un regard, d'un désir, d'une complicité, toute une série d'engrenages, un enchaînement de causes et de fatalités suscitent ces irrésistibles attractions. Elles ont toujours un sens, même si elles conduisent à la tragédie. Depuis des siècles, depuis des millénaires, les mécanismes les plus complexes préparent ces rencontres et façonnent les événements. Amours à double tranchant, qui peuvent aussi bien détruire que transcender.

Le lendemain, je revins sur la route au même endroit, à la même heure, sachant qu'il y serait. Et, en effet, il m'attendait. Je lui adressai quelques mots, lui posai quelques questions banales. J'appris ainsi qu'il était venu de très loin à la recherche de travail et qu'il avait été engagé en notre absence. Je revins presque chaque jour. Nos rencontres semblaient l'effet du hasard, et nos propos ne dépassaient point la bienséance, mais nos yeux, nos intonations disaient tout. Le destin avait imprimé son sceau de feu dans nos corps et dans nos âmes.

Un soir, alors qu'il se faisait tard, je m'aperçus que l'heure avait tourné et que je devais me dépêcher de rentrer à la maison. Je fis un brusque mouvement pour lui échapper. Il me prit la main pour me retenir. Je finis dans ses bras, il m'embrassa et tout fut dit. Il me fit découvrir la sensualité et un puissant lien physique nous unit bientôt. Notre amour, pourtant, n'avait aucun toit pour l'abriter. Alors notre palais fut la forêt et notre lit le sol dur.

Il me fallut revenir sur terre et nous séparer. Je repartis avec ma famille à Madrid, et vécus dans l'attente de nos retrouvailles. Petit à petit, je me mis à rallonger les courts séjours que mon mari et moi faisions ici. Par caprice, je lui demandais de rester quelques jours, une semaine de plus, afin de profiter du calme de la nature, de la beauté des environs. Il accepta sans rien soupçonner.

De plus en plus, les séparations avec Luis me devinrent intolérables. Nous étions devenus insatiables d'amour et nous ne pouvions même pas nous écrire.

Cependant, ici même en ce château, je lui écrivais le jour avant de le voir, la nuit au retour de nos rencontres. Je finissais par remplir des volumes que je lui donnais de la main à la main. En contrepartie, il m'amenait des cadeaux, des fleurs, des fruits, souvent des babioles qu'il achetait au marché d'un village ou à la foire, un petit morceau de dentelle, un carré de soie.

Il alla même jusqu'à me rapporter des boucles d'oreilles en argent. Elles me parurent bien plus précieuses que les joyaux historiques dont mon mari m'avait fait cadeau lors de notre mariage, ces gros diamants qui faisaient l'orgueil de sa famille. Mon entourage, pourtant, eût trouvé étrange que je me pare de ces modestes bijoux et que j'en sois réduite à les porter en cachette ou lors de nos rencontres.

Un jour, m'étant attardée dans ses bras, j'oubliai de les enlever dans ma hâte à rentrer. Mon mari et les miens remarquèrent aussitôt cette incongruité. Je leur déclarai que ces boucles d'oreilles paysannes me seyaient et que d'ailleurs je comptais en lancer une mode destinée à être bientôt suivie par les dames de la Cour. Ils acceptèrent cette explication sans broncher.

Du jour où Luis entra dans ma vie, je fus la première à changer, et comme ils étaient mon reflet, eux aussi changèrent. L'indifférence s'insinua dans mon amour pour mes enfants et une distance grandissante me sépara de mon mari. Ces êtres qui m'avaient été si proches, je ne les vis plus qu'à travers une vitre opaque.

Un hiver où je séjournais à Madrid, la séparation d'avec Luis me devint si insupportable que je demandai à mon mari de me retirer plusieurs semaines à Zaraus. Nous étions pourtant encore loin de la belle saison qui marquait notre venue ici. Je lui expliquai que j'avais besoin d'une retraite spirituelle. Comme je n'étais pas une fanatique de l'autel, mon mari s'étonna de cette piété soudaine. Je vis le soupçon poindre dans ses yeux, car pas un instant il ne crut à cette explication. J'hésitai, je faillis renoncer à mon projet pour désarmer sa méfiance, mais j'avais déjà imaginé mes retrouvailles avec Luis. Je n'eus pas le courage de m'en abstenir comme la prudence me le dictait. J'insistai. Mon mari acquiesça du bout des lèvres. Puisque j'allais faire une retraite, ajouta-t-il, il me fallait un prêtre. Il ne pouvait se séparer de notre chapelain qui en notre palais de Madrid officiait quotidiennement, mais il le chargea de trouver un religieux qui m'accompagnerait à Zaraus pour éclairer ma retraite.

Le religieux déniché, nous nous mîmes en route. Le voyage fut pénible. Les chemins dans cette région existaient à peine, il pleuvait sans discontinuer, partout roulaient des torrents de boue, les chevaux se déplaçaient avec difficulté, glissant sans cesse. Nous ne parcourions que quelques lieues par jour. Je n'avais pris qu'une modeste suite avec moi. Tous pestaient contre mon caprice. Le prêtre, lui, ne disait rien. Il avait déjà remarqué que je n'étais pas pieuse car je déclinais ses invitations à réciter quelques rosaires. Alors que les autres progressaient dans un cauchemar, j'avançais comme par un matin de printemps dans le jardin le plus enchanteur. Je ne ressentais ni le froid, ni la pluie, ni le vent, ni la fatigue.

Nous arrivâmes ici un soir, à l'heure du souper. La nuit qui tombait tôt ensevelissait le domaine dans les ténèbres. J'espérais que Luis aurait été averti de ma venue par le remue-ménage qu'elle causait. J'eus la patience d'attendre la fin du repas. Assis en face de moi, le prêtre me fixait silencieusement et n'en finissait pas de mastiquer. Je pus enfin me retirer. Ce fut pour me voiler le visage d'une mante et me faufiler hors de la maison. Vingt fois je faillis être surprise. Je gagnai la campagne et courus vers notre lieu de rendez-vous préféré, avec comme seule assurance l'espoir que Luis aurait le même instinct que moi. Et en effet il m'attendait sous un arbre. De toute la nuit, la pluie ne cessa de tomber, transperçante, glaciale, tandis que soufflait un vent aigre. Les branches dépouillées de leurs feuilles nous protégeaient fort peu, et pourtant la nuit et ses heures d'amour nous donnèrent l'impression d'être sous un soleil éclatant. Je réussis, avant que l'aube ne parût, à réintégrer la maison aussi facilement que j'en étais sortie.

Il fallut bien que je donne quelques gages au prêtre. Je le priai d'organiser des rosaires, mais à peine fermai-je les yeux pour réciter mon premier Ave que l'image de Luis s'imposait à moi. Le prêtre m'expliquait les textes sacrés, et, épuisée par la nuit que je venais de passer, je faisais des efforts désespérés pour ne pas m'endormir. Je sentais qu'il m'observait à la dérobée, mais j'étais tellement heureuse que cela m'importait peu. Sa condition même supposait une ignorance qui le plaçait au-dessus des précautions que j'aurais pu prendre à son encontre.

Une nuit, je fus surprise alors que je sortais. Une de mes femmes de chambre m'aperçut, simplement vêtue, le visage couvert d'une mantille, tandis que je m'éclipsai hors de la maison. Je bredouillai que j'avais des vapeurs, qu'il me fallait de l'air. Je commis la sottise non point de continuer, mais de remonter. Je patientai une heure, deux heures. Finalement, je n'y tins plus, et ressortis sans rencontrer cette fois personne. Luis était là. La crainte, l'émotion me firent me jeter dans ses bras avec une fougue inconnue. Je voulais prolonger mon séjour, mais je devinai que tous n'attendaient que le moment de repartir pour Madrid. Je passai une dernière nuit avec Luis. Je savais que nous ne nous reverrions point avant le printemps, mais ce que nous venions de vivre m'avait donné une telle confiance, une telle certitude que ces quelques mois de séparation, aussi douloureux qu'ils pussent être, ne feraient que précéder la joie qui nous attendait. Aussi lorsque nous nous quittâmes, je me sentais, malgré notre tristesse, heureuse et légère.

Le retour fut beaucoup plus aisé que l'aller. J'étais encore transportée par les heures que je venais de vivre et j'avançais sur un nuage. Le lendemain de mon arrivée à Madrid, mon mari me convoqua. Je me rendis dans la vaste pièce de travail. Sans un mot, il me tendit plusieurs lettres que j'avais écrites à Luis. Pendant tout le séjour, le prêtre dépêché par ses soins n'avait fait que m'espionner. Il avait tout su, et quasiment tout vu. Il avait fait fouiller les effets de Luis, et parmi les liasses de lettres que je lui avais adressées, il avait volé les plus brûlantes.

La surprise, l'horreur, la peur me réduisirent au silence. Lentement, je me retournai, sortis de la pièce et montai dans mes appartements. Pendant trois jours, il m'y laissa me morfondre. Je ne voyais personne, sauf mes femmes qui, pressentant un drame, devenaient des ombres se glissant en silence le long des murs. Je coulai à pic dans un gouffre sans fond. Le quatrième jour, mon mari vint me trouver et m'annonça qu'une place m'attendait au couvent que

depuis des siècles sa famille protégeait. Il me condamnait donc à une réclusion à vie. Je savais qu'il eût été inutile de m'insurger. Personne n'accourrait pour me défendre, personne même ne s'étonnerait de ma disparition. On ne me connaissait pas une foi profonde, mais les bien-pensants seraient persuadés que Dieu m'avait appelée, que je lui avais répondu. J'avais donc l'air de me retirer de mon plein gré. Je sollicitai qu'on m'épargnât les adieux, surtout à mes enfants.

Je quittai notre palais nuitamment. Lorsque je le parcourus pour la dernière fois, il paraissait déserté. Je ne rencontrai personne dans les salles de réception, les galeries, les escaliers faiblement éclairés par quelques torches, mais je savais que derrière les portes tout un monde de serviteurs attendaient, épiaient. Je pris place seule dans le carrosse. Comme d'habitude, il était entouré de quelques cavaliers que mon mari payait pour éviter les mésaventures. Seulement cette fois-ci, ils ne me protégeaient pas, ils me gardaient. Toute la nuit nous roulâmes et lorsque nous arrivâmes, l'aube pointait à peine. Je vis devant moi un mur très haut, très long, percé de petites fenêtres lourdement grillagées. Devant le portail, le chapitre au complet m'accueillit avec tous les honneurs réservés à l'épouse du donateur.

Je me retournai pour regarder le paysage. De gris, le ciel virait au rose et alors que les collines pelées et les vallons rocailleux restaient couverts d'une brume bleuâtre, à l'horizon perçait une lueur jaune. Je frissonnai car il ne faisait pas chaud et pourtant cette fraîcheur me semblait la promesse d'une très belle journée. Je franchis le seuil du couvent et le pesant vantail bardé de fer se referma sur moi.

Je ne pris pas le voile. Comme beaucoup d'hommes et de femmes de mon rang et de mon époque, qui renonçaient au monde sans pour cela entrer dans les ordres, je menais la vie conventuelle mais beaucoup plus librement que les nonnes. Je ne portais pas l'uniforme du couvent, je fus simplement requise d'adopter une tenue modeste adaptée à mon refus du monde.

Le nom, l'image de Luis m'accompagnaient nuit et jour. Il eût été inutile d'essayer de communiquer avec lui ou d'avoir de ses nouvelles. Aussi n'ai-je jamais su ce qu'il advint de lui.

De l'intérieur je me calcinais, et de l'extérieur je me desséchais. Je maigris, je me parcheminai. Je ne pliai pas, je ne courbai pas la tête, mais mon cœur brûlait si fort que, n'étant plus alimenté, il se consuma. Je continuai à vivre encore sans volonté, sans désir. A la fin, j'étais à ce point exsangue intérieurement que le désir de revoir Luis s'en alla. Je mis plusieurs années à mourir. Un mal bénin suffit à m'emporter en quelques jours.

Mon mari resta le seul au monde, peut-être avec Luis, à connaître la véritable raison de mon entrée au couvent.

Je ne hante pas le couvent où je suis morte mais bien ce palais de Narros, où mon bonheur et mon malheur se sont faits et défaits. Ma nature de fantôme me fait ressembler à un cerf-volant. Invisible dans les nuages, j'oscille au gré des vents et les vivants ne me perçoivent qu'à travers les mouvements de la corde qui me relie à la terre. En réalité, ils ne peuvent me voir puisque je suis partout et nulle part, et il n'ont de moi qu'une image, qu'une impression. Un jour la corde sera coupée et le cerf-volant libéré montera très haut dans le ciel.

En attendant, je suis heureuse de me manifester dans cette demeure bâtie sur un lieu béni. Elle continue d'être un endroit bénéfique, et ceux qui y séjournent boivent à une source de jouvence, revitalise les hommes de bien aussi et retient prisonnier celui qui tombe sous son charme, car lorsqu'il en comprend le sens il ne veut plus en partir.

   Bien que je hante cette maison avec discrétion, il m'a plu de me manifester à la reine Isabelle lorsqu'elle dormait ici dans cette chambre où moi-même j'avais vécu. Lorsque mon apparition l'eut réveillée, je n'essuyai d'elle qu'un tissu d'injures. Elle voulait dormir et se moquait bien des fantômes. Son courage ne fut pas sans me plaire. J'ai tellement aimé cette maison que je m'en voudrais d'effrayer mes descendants et que jamais je ne fais peur à ceux qui l'apprécient. A tous ceux qui m'entendent, je demande des prières moins pour moi que pour Luis. Priez de toutes vos forces pour lui, priez pour Luis. Où est-il ? Se trouve-t-il condamné au même état que moi ou a-t-il déjà gagné la lumière ? Je l'ignore. Je sais seulement qu'un jour je le reverrai.

Les secrets d'un méconnu

Château de Pavlovsk
Russie

Ce n'est pas le plus vaste, ce n'est même pas le plus somptueux, mais de tous les palais russes, Pavlovsk est sans conteste le plus raffiné et le plus séduisant. Côté arrivée, sa sobre façade jaune et blanche s'arrondit en deux demi-cercles autour d'une vaste cour ; sur l'arrière, il domine un vallon verdoyant où paresse une rivière sinueuse. Cet extérieur campagnard ne laisse en rien deviner l'inimaginable et délicate opulence de l'intérieur. Les plus grands talents de la fin du XVIIIe siècle ont employé le bois, le bronze, l'ivoire, le marbre, le verre, la soie pour parvenir au goût le plus parfait. Malgré la variété des matières et mêmes des formes, les meubles et les lustres, les parquets et les bibelots, les tentures et les cheminées forment un ensemble magique et harmonieux. La décoration s'y élève au niveau du grand art, et je ne connais aucun décor d'une beauté, d'une qualité approchante. Tout autour du palais s'étend un vaste parc de prairies, de bosquets et d'étangs, agreste et apparemment naturel, en fait le triomphe absolu des meilleurs architectes de jardins de l'époque. S'y promener en toutes saisons procure la plus douce des évasions. Pavlovsk demeure cher à mon cœur car il appartenait à mon arrière-grand-père russe, le grand-duc Constantin Nicolaïevitch, et mon père y est né.

Il avait été baptisé dans la chapelle blanche et or que je visitai le jour où la chute du communisme la rendait au culte après soixante-dix ans d'athéisme. Chaque année, avant la révolution, mon père quittait la Grèce pour venir ici séjourner chez ses grands-parents. Il s'imprégnait de ce palais et, malgré son jeune âge, les trésors artistiques qu'il contenait l'éblouissaient chaque fois. Il avait aussi inventorié les fantômes de la maison et particulièrement celui qui se manifesta à sa propre grand-mère, la grande-duchesse Alexandra :

« Comme un soir en rentrant dîner elle parcourait la galerie voûtée du rez-de-chaussée suivie de deux aides de camp, ils avaient tous trois aperçu à une certaine distance une femme qui venait à leur rencontre. Elle était vêtue de blanc de la tête aux pieds, mais son aspect n'avait autrement rien d'anormal et ils pensèrent qu'il s'agissait d'une des dames de la Cour. Ce n'est qu'après coup qu'il leur revint à l'esprit qu'elle marchait sans faire le moindre bruit. Le couchant répandait encore assez de clarté sous les arches pour qu'il leur fût possible de la distinguer comme elle approchait.

« Arrivée à quelques pas d'eux, elle s'arrêta, releva la tête et regarda ma grand-mère en plein visage. Aucun d'eux ne parvint à se rappeler les détails de sa physionomie et ils ne purent que déclarer que celle-ci était tout imprégnée d'une méchanceté et d'une malveillance indicibles. En croisant son regard, ma grand-mère fut saisie d'une telle frayeur qu'elle resta figée sur place, incapable de faire un geste. C'est alors que la femme s'élança sur elle comme pour la frapper.

« Voyant cela, les deux aides de camp qui étaient demeurés pétrifiés d'étonnement parvinrent à réagir et bondirent devant ma grand-mère, les bras étendus. Mais à leur surprise, ils ne saisirent que le vide. Il ne subsistait aucune trace de l'inconnue. Elle avait disparu aussi mystérieusement qu'elle était apparue.

« On ramena à ses appartements ma grand-mère à demi évanouie de terreur. Lorsqu'elle leur conta sa mésaventure, ses femmes frémirent : "C'est la Dame blanche que vous avez vue", lui dit l'une d'elle. L'angoisse s'empara de mon aïeule. En effet, elle avait entendu parler, comme toutes les princesses, du terrible fantôme errant — dont l'histoire se perd dans la nuit des temps et ne se rattache à aucun pays en particulier — car il apparaît aux membres des familles royales pour prédire les catastrophes. Le lendemain de l'apparition, le cadet des fils de ma grand-mère, le grand-duc Dimitri Constantinovitch, tomba malade et moins d'une semaine après, il était mort... »

Survint la révolution de 1917. Certains des membres de la famille impériale parvinrent à s'enfuir à l'étranger, d'autres, dont plusieurs habitants de Pavlovsk, furent massacrés. Ma propre grand-mère Olga, protégée par sa position de reine mère de Grèce, demeura au palais sans être trop inquiétée et continua à faire fonctionner l'hôpital de guerre qu'elle y avait installé. Elle subit avec les habitants les terribles privations de cette époque, se nourrissant de pain et d'huile pendant plus d'un an. Elle fut la dernière à habiter Pavlovsk.

En ce matin de printemps, j'y revenais pour la quatrième fois. La conservatrice Ludmila Koval, qui chaque fois s'occupe de moi avec autant de gentillesse que d'efficacité, me conduisit dans une des ailes en fer à cheval du château, là où se trouvaient les anciens appartements de ma grand-mère Olga et qui désormais servaient de dépôt. Pendant la visite, je trébuchai contre une longue caisse en fer noir. Sur le couvercle, je lus, inscrit en lettres blanches : « uniforme d'amiral anglais de sa Majesté Impériale ». Je savais qu'Édouard VII avait offert cette distinction à son neveu Nicolas II, et je ne résistai pas à la tentation de soulever le couvercle. Mais sous les papiers de soie, au lieu de l'uniforme, j'extrayai des vêtements de tout petits enfants en laine blanche bordée de cygne. C'étaient ceux des grandes-duchesses et du tsarévitch qui, plus tard, furent massacrés à Yekaterinen-bourg. Devant ces reliques, les conservatrices qui nous avaient rejoints et moi-même sentîmes nos gorges se serrer, tant il est vrai que la tragédie, bien que les communistes aient tenté d'en arracher jusqu'au souvenir, reste présente dans toutes les mémoires.

Plus tard, dans le salon de la reine Olga, nous nous assîmes autour d'une vaste table ronde en acajou incrustée de bronze et nous nous livrâmes à la passion exclusive des Russes pour le bavardage. Elles commencèrent par me raconter l'odyssée du palais. La révolution avait laissé son intérieur intact. Mon père avait énuméré quelques-uns des trésors qu'il y avait vus. Aux murs, ce n'étaient que Rembrandt, Van Dyck, Greuze, les boutons de porte étaient signés Gouttière, les chenets Falconet, les parquets étaient incrustés de marqueterie. Roetgen, Weisveiller, Riesner, Benemann, Jacob et autres ébénistes de tout premier plan avaient fabriqué le mobilier. Quant à la porcelaine, elle était en vieux Sèvres, et en grande partie offerte par Marie-Antoinette. Le public devant lequel s'ouvrirent les portes de Pavlovsk put y contempler ces merveilles demeurées sur place.

Puis le musée fut fermé par ordre supérieur. Le régime vendait sous le manteau à l'étranger les plus belles pièces pour pouvoir se financer. Survint la Seconde Guerre mondiale. Les Allemands occupèrent Pavlovsk, et au moment de la retraite, furieux de n'avoir pu prendre Leningrad, ils firent sauter le palais. A la libération, il n'en restait que quatre murs noircis. Pavlovsk était bien mort.

Or Pavlovsk ressuscita. Grâce à la ténacité de ses conservateurs et à l'ingé-niosité de ses restaurateurs. Ils possédaient les plans, les épures, les dessins. Aussi purent-ils reconstituer dans sa plus extrême minutie le décor interne. Puis sortirent de leurs cachettes les trésors qui n'avaient pas été dispersés par les Soviets. Salle après salle, Pavlovsk s'offrit à l'admiration des visiteurs tel qu'il avait brillé au XVIIIe siècle. Même les fantômes avaient réintégré le palais.

Je goûtais la simplicité, la facilité, la liberté avec lesquelles en parlaient les Russes, jusqu'à des fonctionnaires de l'État comme les aimables conser-vatrices qui m'entouraient.

Ludmila Koval se tenait un jour avec une de ses collègues à la porte du salon de la reine Olga, lorsqu'elles avaient vu une femme de gris vêtue monter l'escalier, traverser la pièce et disparaître dans le couloir. Elles se précipitèrent à la suite de l'apparition, mais ne trouvèrent personne.

Un autre jour, une conservatrice se reposait dans le salon. Elle était assise en face d'une porte fermée qui donnait dans une chambre sans autre issue. Le temps avait creusé le parquet et désormais entre les lames et le bas de la porte, il y avait un espace. Le regard de la conservatrice s'étant distraitement posé à cet endroit, elle remarqua le bas d'une jupe longue qui allait et venait derrière le battant. Étonnée qu'il y ait quelqu'un dans la chambre, elle appela. Personne ne répondit. Mais elle voyait toujours la jupe aller et venir. Alors elle courut à la porte, l'ouvrit. La pièce était vide. Depuis, plusieurs de ses collègues purent observer le même phénomène.

Passe encore que cette aile à peine touchée par les Allemands demeure hantée, mais le gros du palais, qu'ils avaient anéanti et qui depuis avait été refait à neuf, n'avait pu garder ses fantômes. C'est bien là où je me trompais...

Au tout début des restaurations, Madame A.V., une des plus « anciennes » de Pavlovsk, avec trente-cinq ans de service, avait été réveillée en pleine nuit par le système d'alarme. Elle parcourut le palais à la recherche de ce qui avait pu le déclencher. C'est ainsi qu'arrivant dans la salle des Chevaliers, la première à avoir été restaurée, elle entendit très clairement des voix, des pas, des portes qui s'ouvraient et qui se fermaient. Il n'y avait personne, et la cause de la mise en marche du système d'alarme ne fut jamais découverte.

Il se pouvait, remarquai-je, qu'il y eût bien en effet quelques interventions de l'au-delà. « Non pas seulement quelques-unes, précisa Ludmila Koval, mais de très nombreuses manifestations surnaturelles. » Il n'y avait pas une conservatrice, une gardienne qui, à la tombée du jour, n'éprouvât une certaine appréhension à se rendre dans cette partie du musée. Pas une en effet qui n'ait perçu des bruits inexplicables, des chuchotis, des froissements. De l'avis unanime, une seule personne pouvait continuer à hanter Pavlovsk, celle qui avait bâti ce palais et créé cet enchantement, l'impératrice Maria Feodorovna de Russie.

Elle était née princesse de Wurtemberg et avait été élevée à Montbéliard, s'y frottant de culture française. Elle avait épousé le grand-duc Paul de Russie, fils unique de Catherine II la Grande. Celle-ci, dans ses Mémoires, laisse entendre que cet héritier était le bâtard de son amant Saltykof. Bizarre, Paul l'avait toujours été. Mais lorsqu'à la mort de sa mère il monta sur le trône, son excentricité ne fit que s'accentuer, teintée de plus en plus fortement de cruauté. Son occupation préférée consistait à faire manœuvrer inlassablement ses soldats, qu'à la moindre faute il punissait durement. Plusieurs mouraient sous le knout et l'on se répétait l'histoire de ce régiment qu'il avait envoyé à pied de Pétersbourg en Sibérie. On savait qu'il avait fait juger, condamner à mort et exécuter un rat qui avait osé grignoter un de ses uniformes. L'empire entier tremblait devant ce tyran mesquin qui voyait et entendait tout. Ceux qui le pouvaient, les élites en tête, s'exilaient à l'étranger. Même dans le cadre idyllique de Pavlovsk, Paul Ier passait son temps à prendre en faute ses sentinelles.

Cette aimable villégiature ne convenait cependant pas au tsar ombrageux qui préférait s'enfermer dans son gigantesque palais-caserne de Gatchina bâti sur ses instructions. A Saint-Pétersbourg, trouvant le palais d'Hiver mal défendu, il se fit construire en toute hâte une lugubre et imprenable forteresse, le « Vieux Château Michel ». Il n'avait pas tort de se montrer soupçonneux, car autour de lui la conjuration rampait, née des insupportables excès de son absolutisme illimité. La plupart des conjurés appartenaient au cercle le plus intime de ses courtisans et presque tous étaient membres de la franc-maçonnerie. Maria Feodorovna avait été une blonde fraîche et appétissante. Avec les ans, elle s'était épaissie, et le tsar son mari s'affichait au bras de maîtresses voyantes. Il détestait de même son fils aîné et héritier, Alexandre, qui incarnait tout ce qu'il n'était pas, la finesse, la beauté, le charme. Mêlant la mère et le fils dans une même haine, il proférait des menaces à leur encontre, et projetait de leur supprimer la liberté sinon la vie.

Devant le danger, Alexandre donna son aval aux conjurés venus le solliciter, à la condition expresse qu'on se contentât de forcer son père à abdiquer sans lui faire le moindre mal. Alors que l'étau invisible se resserrait autour de lui, le tsar s'empressait d'emménager dans son blockhaus aux plâtres à peine secs. Il ordonna à Maria Feodorovna et Alexandre de l'y suivre incontinent afin de pouvoir mieux les surveiller. Ses soupçons étant éveillés, les conjurés comprirent qu'il ne tarderait pas à les dépister et qu'il fallait se hâter d'agir. Une nuit donc, ils pénètrèrent dans la forteresse la mieux défendue de l'empire... grâce aux clefs qu'ils avaient eu l'habileté de se procurer. Se glissant sans faire de bruit le long des corridors, ils parvinrent jusqu'à l'appartement de Paul qu'ils envahirent. Leurs exclamations de déception, en trouvant le nid vide, furent suivies de cris de triomphe en découvrant le tsar caché derrière un paravent. Ils lui tendirent son acte d'abdication, mais il se rebiffa et les insulta. Alors ils le transpercèrent et l'étranglèrent jusqu'à ce que mort s'ensuive. De son appartement situé exactement en dessous de celui de son père, Alexandre entendit tout. L'horreur le paralysait lorsque les conjurés firent irruption chez lui pour l'emmener et le proclamer empereur. Il se laissa faire et c'est alors qu'il tomba nez à nez avec sa mère. Furieuse au lieu d'être accablée, Maria Feodorovna fit état de certaines dispositions selon lesquelles la Couronne devait lui revenir, et exigea qu'on la lui remît. Les conjurés la repoussèrent et entraînèrent Alexandre vers sa destinée et le trône.

Lorsque Bonaparte apprit l'assassinat de Paul, il tapa du poing sur la table : « Encore un coup de l'Angleterre. » Car en effet le tsar, par un spectaculaire renversement d'alliances, venait d'abandonner cette puissance pour la France... Les contemporains dans leur mémoire, les historiens dans leurs études ont accablé à qui mieux mieux Paul Ier. Néanmoins, dans le panthéon impérial de la forteresse Pierre et Paul, seule sa tombe continue à être fleurie, le peuple russe éprouvant un étrange respect pour les fous.

Devenu empereur, Alexandre Ier joua plusieurs années au chat et à la souris avec Napoléon, encouragé par sa mère à résister aux séductions de ce dernier. Napoléon, qui n'arrivait pas à le saisir, l'accusait de mentir et le traitait de « Grec de bas empire ». Ce fut pourtant Alexandre qui eut le dernier mot lors de la guerre de 1812. Vainqueur de Napoléon, il devint l'idole de son peuple et le chéri de l'Europe. Quelques années plus tard, il partit un jour d'hiver avec sa femme pour un trou perdu de Crimée. Peu après, on annonçait qu'il y était brusquement mort d'une courte maladie. Maria Feodorovna, après s'être inclinée devant les restes de son fils, porta un deuil ostentatoire. La révolution des décabristes éclata qui manqua renverser le régime impérial. Nicolas Ier, frère et successeur d'Alexandre, l'arrêta avec autant de courage et de fermeté que de cruauté. Il remit de l'ordre dans la maison, c'est-à-dire dans l'empire comme dans la famille impériale qui en avait tout autant besoin. L'un et l'autre entrèrent alors dans une ère de paix qu'ils n'avaient pas connue depuis des siècles.

Au bout de plusieurs années, une rumeur commença à circuler à travers la Russie, selon laquelle le tsar Alexandre n'aurait fait en Crimée que mettre en scène une fausse mort. N'ayant jamais oublié son involontaire participation à l'assassinat de son père, il aurait voulu disparaître de la circulation pour expier dans l'anonymat. Il se serait retiré en Sibérie où, sous la défroque d'un ermite, il aurait vécu de longues années de privations et de prières. Malgré les furieuses dénégations de Maria Feodorovna et des autres membres de la famille impériale, les témoignages, les preuves pour étayer cette théorie abondèrent. Le mystère prit de telles proportions et dura si longtemps que Lénine, pour en avoir le cœur net, fit ouvrir le cercueil du tsar Alexandre. On n'y trouva que des pierres.

Trois passionnants mystères, l'identité du véritable père de Paul Ier, les circonstances de son assassinat, la fausse mort d'Alexandre Ier parsemaient

l'existence de l'impératrice Maria Feodorovna, par ailleurs surchargée de péripéties.

Néanmoins, elle ne m'avait jamais inspiré et elle demeurait à mes yeux « une grosse vache, inintéressante, geignarde et ennuyeuse ». Ce fut donc à contrecœur que je me laissai enfermer dans son cabinet au rez-de-chaussée du palais. Les fuites d'un conduit avaient nécessité des restaurations, il avait été provisoirement vidé de ses trésors. Des tables vitrines débarrassées de leurs objets précieux et couvertes de poussière l'encombraient. Des draps blancs obstruaient les fenêtres. L'eau avait maculé les parois et seules deux cheminées aux incrustations de marbre multicolore rappelaient le raffinement du décor original.

A ma porte, se tenait une des gardiennes, octogénaire et édentée, une de ces babouchkas inséparables des musées russes, dont la seule fonction semble être de terroriser les visiteurs.

« La grosse vache » est venue pour défendre la mémoire d'un homme qu'elle a beaucoup aimé. De son vivant comme après sa mort, il fut abominablement vilipendé. Sa propre mère Catherine II lança la campagne contre lui, lui infligeant le pire que puisse endurer un homme... Elle en était jalouse. Elle, la femme la plus célèbre d'Europe, une des plus grandes figures de l'Histoire, qui possédait tout, la beauté, le succès avec les hommes – mon Dieu, combien nous en avons vu défiler ! – l'intelligence, le génie, l'autorité, un pouvoir illimité, l'adulation de tout son siècle, que pouvait-elle vouloir de celui qu'elle affirmait être un avorton, laid, bête, inculte, fou et bâtard ? Car tel était le discours qu'elle répétait à propos de son fils.

Seulement son fils, s'il n'était peut-être pas beau, séduisait. En tout cas, il m'a séduite et je l'ai aimé de toutes mes forces. Ce fils était intelligent, cultivé bien plus que sa mère qui préférait l'esbroufe. Elle se contentait de lire trois lignes et jurait avoir lu tout le livre. Elle fut la souveraine des chimères. Toute sa vie, toute son activité ne furent qu'illusions car elle fit toujours croire n'importe quoi à n'importe qui. Élevée dans une Cour si misérable qu'elle se réduisait aux quelques membres d'un entourage piteux, née à une époque où on n'éduquait pas les filles, elle restait d'une ignorance crasse mais bien cachée. Je naquis beaucoup plus tard, dans une Cour autrement raffinée et... francisée. Je reçus une éducation soignée au point de pouvoir lire quatre langues. La culture de mon mari, bien plus étendue que la mienne, n'avait rien de livresque. Il avait beau réciter Faust par cœur, son savoir tenait plus à sa sensibilité qu'à sa mémoire. Il appréciait le beau sous toutes ses formes et cette maison en est la preuve.

Le jardin privé qui s'étend devant ces fenêtres, nous nous y sommes promenés lui et moi si souvent qu'on pourrait presque nous y voir encore marcher dans les allées, bras dessus, bras dessous. Mon mari, qui avait été si malheureux à l'ombre de sa mère, s'épanouissait ici. Elle lui avait donné ce terrain, elle avait en grande partie fait construire ce palais selon ses plans, selon sa volonté, malgré nos propres désirs et souvent contre ceux-ci. Cependant, en dépit de ses inconvénients, cette maison représentait notre univers.

Si j'ai pu faire quelque chose pour mon mari, ce fut de lui apprendre à profiter des joies innocentes, humbles et saines. Cet homme destiné à devenir le maître d'un immense empire, le possesseur de millions de sujets et de richesses incalculables, découvrit son paradis en plantant son jardin et en surveillant les travaux des champs. Mais avant tout, il s'intéressait à la vie de ceux qui travaillaient pour lui. Infinie était sa prévenance envers les domestiques, les paysans. Il se montrait avec eux beaucoup plus poli qu'avec les grands personnages de son entourage, parce qu'il savait que l'humble le comprenait beaucoup mieux que le fier.

L'impératrice Catherine mourut. Monté sur le trône, mon mari voulut le bien de sa famille, et sa famille s'étendait à tous les habitants de l'empire. Il opéra des réformes révolutionnaires parce que totalement désintéressées. Il était honnête, incorruptible, peut-être têtu, encore qu'il sût écouter les bons conseils, il était décidé à faire progresser son pays et ce fut sa perte. Car sa mort fut décidée très longtemps à l'avance. Cependant, avant de le tuer, fallait-il encore le détruire aux yeux de l'opinion publique.

Ses assassins en puissance prirent la relève dans la campagne de dénigrement que l'impératrice Catherine avait entreprise. Ils amplifièrent les rumeurs sur sa bâtardise. Sa mère avait été assez diabolique pour laisser planer le doute sur son origine et toute sa vie il se demanda s'il était légitime ou non. Nuit et jour il se torturait pour savoir s'ils avait le droit d'occuper le trône, car bâtard il ne pouvait y demeurer et serait obligé de le céder à un autre qui aurait eu plus de droits que lui. Mais en ce cas, quel autre, puisque avec lui se serait éteinte la dynastie ?

Sa brusquerie qui n'était qu'apparente, ses sautes d'humeur, ses explosions de colère, ses réactions cruelles dures étaient engendrées par cette incertitude qui le tenaillait sans cesse.

Après la mort de l'impératrice Catherine, je fis moi-même des recherches et je prouvai qu'il était impossible que mon mari fût illégitime. Aurais-je découvert le contraire que je lui aurais conseillé de s'en aller, ce que d'ailleurs il aurait fait spontanément. Armée de mes preuves, je lui démontrai qu'il ne pouvait conserver aucun doute sur sa légitimité. Mais la gangrène enracinée par sa mère avait déjà progressé dans son âme. Il me croyait, mais il n'était plus capable de supprimer le doute en lui. Alors j'en voulus de toutes mes forces à ma défunte belle-mère. Dans l'enfer où elle devait rôtir, elle pouvait se réjouir du mal qu'elle avait fait à ce malheureux, à son unique enfant légitime.

Cependant les adversaires de mon mari intensifiaient leur campagne pour le rendre impopulaire, répandant sur son compte les histoires les plus horrifiantes. On l'accusa entre autres de tourmenter ses soldats. En réalité, il lui fallait à tout prix épurer l'armée des parasites qu'y avait laissés sa mère, la plupart ses anciens amants. Il agit peut-être brutalement, mais grâce à la vigueur de son action, notre fils Alexandre devait obtenir la victoire inespérée qui reste la plus grande de notre histoire contre Napoléon.

Il est connu que mon mari eut des maîtresses. Je suis bien placée pour savoir qu'il ne devait pas éprouver pour elles une grande passion charnelle. Ces liaisons qu'on a voulu me jeter à la tête pour me prouver sa désaffection se réduisirent à des amitiés romantiques. En fait, il continuait à m'aimer et je l'aimais plus que tout. J'admirais mon mari d'avancer vers son but sans hésitation, sans compromission, sans retard, sans repos, alors qu'il était assailli par les doutes personnels, par les menaces, les mises en garde et les trahisons. Pour se délasser de tant de soucis, il n'avait que sa famille et ce lieu-ci.

La légende racontait que, caché derrière les persiennes, il surveillait ses gardes pour les châtier à la moindre faute. En effet, il se tenait souvent à la fenêtre de cette pièce avec moi, pour le simple plaisir de contempler la nature et de m'en apprendre la beauté.

Plus tard, les descendants de mon mari, Nicolas II et sa famille, se retirèrent eux aussi à la campagne, mais il ne devait y avoir aucune comparaison entre eux et nous. Ici, nous étions isolés, mais nous ne fûmes jamais comme eux coupés du pays. Même dans cette maison et ce parc délicieux, mon mari restait à l'écoute de l'empire. Malgré l'incompréhension dont il fut accablé, le peuple, lui, aimait et comprenait mon mari, et le souvenir qu'il en garda a traversé les siècles.

Bien qu'ici nous nous sentions paisibles et heureux, mon mari se retirait parfois dans la sombre forteresse, Gatchina, ou alors il se faisait bâtir en ville un château inexpugnable, le Vieux Château Michel. Ces résidences rébarbatives et bizarres qui étonnent encore étaient en fait symboliques. Le sang qu'il charriait, mais surtout les épreuves morales subies depuis sa naissance provoquaient parfois chez lui des crises dangereuses qu'il voulait éviter aux autres et à sa famille. Aussi s'enfermait-il, avec l'illusion que, protégé par les douves et les murs épais, défendu par des régiments entiers, il ne pourrait être rejoint par ses démons. Sa tragédie fut qu'il risquait de faire le mal à ceux qu'il aimait le plus, et qu'il le savait.

Cependant les dangers s'accumulaient sur lui, et ma vie devint de plus en plus difficile.

Il possédait les preuves irréfutables de l'existence du complot, il en connaissait même des membres, mais il se refusait à sévir contre eux. N'ayant surpris que de vagues rumeurs, je n'en savais pas assez pour l'aider efficacement mais chaque fois que je lui conseillais de neutraliser les conjurés, il me répondait qu'il y aurait bien le temps de le faire car, m'expliqua-t-il, il voulait entre-temps en apprendre plus, ce qui était faux : il était déjà au courant de tout.

Certains membres de la conjuration approchèrent l'héritier du trône. Dans l'atmosphère empoisonnée de la Cour, notre fils Alexandre ne voulut pas par ses questions paraître s'intéresser à leurs allusions et il esquiva. Il m'a souvent répété que jamais il ne leur donna son aval, et je n'ai aucune raison de douter de sa parole. Il se montrait toujours très sincère, mais il détestait les scènes, les explosions de colère, peut-être parce que son père, dans ses crises, l'avait trop impressionné. Aussi garda-t-il toujours une douceur égale et lorsqu'il avait à dire quelque chose de désagréable, il hésitait, reculait, prenait son temps, d'où cette accusation de dissimulation. Moi, sa mère, je peux cependant affirmer qu'il ne mentait pas lorsqu'il m'assura n'avoir rien su du complot.

Néanmoins les conjurés eurent la subtilité de faire croire à beaucoup de monde, et à mon mari en tête, qu'Alexandre faisait partie du complot. Le tsar ne le crut pas un instant, mais cette calomnie tombait au moment où l'attitude de notre fils constituait presque involontairement une critique à l'égard de son père, et celui-ci en était profondément heurté. Lorsque je tâchai de le calmer, il ne m'écouta que d'une oreille. Aussi lorsque Alexandre vint le trouver pour lui apporter les maigres informations qu'il avait recueillies sur la conjuration, il l'envoya promener.

Il était tout de même exaspéré par ce complot qui se tramait sous son nez, et furieux qu'on le prît pour un imbécile. Un jour il lui arriva de grommeler quelques mises en garde inintelligibles devant des témoins, qui s'empressèrent de venir nous répéter qu'il nous avait nommément menacés et qui répandirent le bruit qu'il avait décidé de nous incarcérer, Alexandre et moi.

A peine eut-il emménagé dans sa nouvelle résidence citadine avant même qu'elle ne soit achevée, qu'il nous y fit venir car même dans ces sombres forteresses où il s'enfermait dans sa solitude, il ne pouvait se passer tout à fait de nous. Nous savoir entre ces murs rébarbatifs le rassurait quelque part : avec mon fils, avec moi-même, c'était un peu du soleil du dehors qui entrait. Nous le trouvâmes dans un état épouvantable.

Il nous avait fait venir comme dernier recours, espérant que nous l'aiderions et le réconforterions. Mais que pouvions-nous contre sa lassitude ? Tout ce qu'il entreprenait tournait court. Ses réformes remarquables, destinées à porter plus tard leurs fruits, soulevaient alors un océan de critiques. En même temps les combattants de l'ombre en profitaient pour fourbir leurs armes qu'il n'avait plus le désir ni la force de détourner de lui. Par une sorte de taquinerie morbide, il demanda à l'un des comploteurs s'il était vrai que la conjuration existât et qu'il en fît partie. Celui-ci lui répondit que rien n'était plus vrai et que s'il y participait, c'était pour mieux en découvrir les fils et en dénoncer les membres. Ce mensonge énorme et célèbre l'horrifia. Loin d'avoir été abusé et rassuré, comme le soutient la légende, cette trahison finale enleva le dernier brin de résistance qu'il aurait pu garder contre son destin. Plus rien ensuite ne s'opposa à ce qui devait se passer. On n'a pas tué mon mari, il s'est laissé mourir. Il avait une foi trop profonde pour jamais consentir à se suicider. Alors, par dégoût des hommes, il laissa agir le poignard de ses assassins.

Vint cette nuit fatale, cette nuit terrible qui jusqu'à ma mort peupla mes cauchemars. J'ai entendu les chuchotements, les pas de ces hommes qui tâchaient de s'approcher sans faire de bruit, mais qui, pris de boisson, se heurtaient, étouffant leurs jurons et parlant bas quoique d'une façon fort audible. Alors j'ai été prise de lâcheté. Mon anxiété fut telle que je me sentis incapable de bouger, d'appeler au secours. Je savais que quelque chose de terrible se préparait. J'ai entendu la porte de sa chambre voler en éclats. J'ai entendu les objets qu'on renversait, les meubles qu'on poussait, puis l'affreux cri de triomphe lorsqu'ils l'ont découvert, caché derrière le paravent. J'ai entendu ses hurlements de douleur, j'ai reconnu sa voix. J'ai entendu les grondements de ces hyènes acharnées sur ce malheureux. Cela dura un temps interminable pendant lequel, debout dans ma chambre, j'étais transformée en statue. Je ne pouvais remuer, je ne pouvais respirer. L'horreur de ce moment ne m'a jamais quittée. Et ces pensées qui me traversaient l'esprit ! Allaient-ils s'en prendre à moi, allaient-ils s'en prendre à mon fils ? Comment le prévenir ? J'étais seule et je les entendais.

Puis les vociférations allèrent décroissant. Je n'entendais plus mon mari. Ses cris avaient été tellement épouvantables que je me sentis presque soulagée de ne plus avoir à les supporter, alors que je savais fort bien ce que cela signifiait. Ces pensées, je les décris longuement, mais sur le moment elles me traversèrent l'esprit en un éclair et toutes à la fois. J'émergeais alors de ma paralysie. J'avais peur pour Alexandre. Je suis sortie de ma chambre. Comme toujours dans ces cas-là, il n'y avait personne, femmes de chambre, valets de pied, soldats censés demeurer à notre porte pour nous protéger, pour répondre au moindre de nos désirs... tous avaient disparu. Dans le couloir je tombai nez à nez avec les assassins. Ils m'ont insultée, ils m'ont ordonné de retourner

chez moi. Ils étaient ivres morts. Certains portaient sur leurs habits des traces de sang. Le sang de mon mari que je distinguais fort bien et dont je me suis souvenue plus tard lorsque ma mémoire reconstitua toute la scène. J'ai continué à avancer et j'en ai aperçu quelques-uns qui emmenaient mon fils de force. Certaine qu'ils allaient lui faire subir un funeste sort, j'ai tenté de les arrêter. C'est ainsi que l'histoire raconte que j'ai voulu prendre sa place et exhumer d'imaginaires droits pour succéder à mon mari. Mon fils cependant suivit les assassins de son père, et je dois reconnaître qu'il n'eut pas tort. Dans ces circonstances, il n'y avait rien d'autre à faire.

Les assassins n'ont pas été punis, ils étaient trop puissants, trop dangereux. Leurs ramifications s'étendaient à une société secrète et à une grande puissance — la franc-maçonnerie et l'Angleterre — qui n'ont ni l'une ni l'autre jamais reculé devant rien. La mort de mon mari en apportait la preuve et elles n'auraient pas hésité à faire subir un sort semblable à son successeur. Il le savait, je le savais. Aussi fut-ce moi qui lui conseillai de ne pas faire justice, qui lui demandai d'arrêter les poursuites.

Le reste de ma vie, j'ai tenu bon. Leur père n'était plus là, leur frère aîné avait désormais sur ses épaules les soucis de sa position, c'était donc à moi de m'occuper de mes nombreux enfants, surtout de ceux en bas âge. Je les ai vus grandir, se marier et à leur tour avoir des enfants. Cette maison continua à être celle du bonheur paisible.

Puis je vis partir Alexandre. Le secret de sa fin demeure l'un des plus poignants de l'histoire, et la vérité reste très éloignée de tout ce qu'on en a dit.

Cette affaire pesa d'un poids terrible sur moi. Les petits plaisirs quotidiens qui tissaient mon long veuvage et le rendaient supportable s'affadirent brusquement et perdirent de leur saveur. Alors je sus que la vie me quittait et je n'eus aucune envie de la prolonger. J'avais fait mon temps. La maladie vint qui m'emporta.

Dans le fond de mon cœur je n'avais jamais pardonné aux assassins, et je mourus en conservant intacte cette volonté de vengeance... Là où je suis, je dispose de moyens bien supérieurs à ceux des vivants. Je suis plus lucide, je vois plus clairement les choses, les êtres. Les communications avec ceux qui me guident sont beaucoup plus directes, beaucoup plus aisées. Je ne suis pas aveuglée ni détournée par les intérêts, les appétits, les plaisirs qui constituent le brouhaha de la vie humaine. Mais je me sens bien seule dans cette école du pardon. J'y parviendrai cependant car la raison principale qui me pousse à avancer, c'est l'espoir de revoir mon mari.

La morte d'amour

Château de Powderham
Devon
Angleterre

Le roi de France Louis VI dit Le Gros (1081-1137) se montra un souverain juste, progressiste, bienveillant, et son règne prospère fut un des plus populaires du Moyen Âge. De sa seconde femme, Adélaïde de Savoie, il eut plusieurs enfants dont Pierre, sire de Courtenay. Ce dernier partit à la croisade, se battit vaillamment contre les Sarrazins et se tailla la réputation d'un preux chevalier. De la Terre sainte, il eut l'insigne honneur de ramener une des reliques les plus vénérables de la chrétienté : trois gouttes du sang du Christ. Pour les abriter, il fit ciseler le plus riche reliquaire qui se trouve actuellement à Bruges. La Maison de France n'ayant pas encore adopté les fleurs de lys, il reçut des armes parlantes : trois cercles rouges — figurant les gouttes de sang du Christ — sur fond d'argent. Le sire de Courtenay eut de nombreux descendants. L'un d'entre eux devint empereur à Constantinople, et les Courtenay régnèrent sur l'éphémère Empire latin qui brièvement remplaça Byzance. Un autre, cadet désargenté, alla chercher fortune en Angleterre et offrit ses services au roi. Lui et ses descendants accumulèrent propriétés, châteaux, titres et positions importantes. Mais travailler pour le roi d'Angleterre n'était pas exempt de risques et certains Courtenay, comme plusieurs membres de toutes les grandes familles anglaises, eurent la tête tranchée sous quelque accusation de trahison et perdirent leurs biens. Les Courtenay finirent cependant par reconstituer leur fortune et retrouver leurs titres. De nos jours, les souverains britanniques ne font plus décapiter ceux qui leur déplaisent et les Courtenay se contentent d'administrer leurs vastes propriétés, groupées autour de leur important château de Powderham. Naguère forteresse mise au service du roi ou refuge contre les caprices du souverain, ce splendide édifice est devenu leur résidence principale. Ils l'entretiennent avec amour et y reçoivent, pendant la saison, les meilleurs chasseurs venus de partout, car alentour, forêts et prairies abondent en gibier.

C'est d'ailleurs à l'occasion d'une de ces réunions cynégétiques que ma cousine Olympia fut reçue à Powderham. Olympia est une Méditerranéenne souriante et vive, dont la finesse et la grâce cachent un profond courage et une âme bien trempée.

Elle accompagne son mari, mais comme elle est enceinte, il lui est déconseillé de suivre la chasse à cause des cahots de la jeep sur les chemins de terre. La maîtresse de maison, la comtesse de Devon, l'installe dans un salon, lui fait apporter du thé, des journaux, des revues, puis part avec les chasseurs. Restée seule, Olympia regarde autour d'elle. La lumière qui entre par les hautes fenêtres, les canapés confortables, les chintz printaniers font oublier la taille imposante de la pièce, son très haut plafond, et rendent l'atmosphère chaleureuse, détendue. Elle prend un livre et se met à lire. Bien vite elle se rend compte qu'elle est incapable de se concentrer. Les mots, les phrases semblent danser devant ses yeux. Son esprit part dans toutes les directions. Puis une sensation désagréable, imprécise, commence à s'insinuer en elle. Quelque chose la gêne, la dérange, mais elle ne sait pas ce que c'est ni d'où cela provient. Elle appelle le cocker de lady Devon qui lui tient compagnie. Le chien accourt, Olympia le caresse distraitement. Soudain elle sent l'animal se raidir. Il gronde comme s'il avait vu entrer un ennemi. Surprise, Olympia lève la tête, se retourne, rien n'a bougé, il n'y a personne. Pourtant, le chien est tétanisé, semble épouvanté, il tremble, se met à gémir puis à hurler. « Il hurlait à la mort », te dis-je. Brusquement, une boule de poils saute sur la poitrine d'Olympia qui pousse un cri. Elle n'avait pas remarqué le chat qui la griffe et déchire sa blouse. « Il avait la queue verticale et les yeux exorbités. » Chien et chat ont la tête tournée dans la même direction et paraissent au comble de la terreur. Olympia prend le chien sur ses genoux tandis que le chat continue à labourer ses vêtements. Elle ferme les yeux pour ne pas voir. Elle sait qu'un fantôme, un esprit, quelque chose ou quelqu'un d'horrible, de repoussant, s'approche. La pièce jusqu'alors lumineuse s'est comme enténébrée. Olympia sent que rien ne la protège de cette menace grandissante. Alors elle commence à prier. Presque instinctivement elle murmure les oraisons de son enfance. Les yeux toujours clos, elle devine que la « chose » s'est arrêtée. Olympia continue à prier et peu à peu sent le danger décroître, disparaître. Elle ouvre les yeux. Rien. Personne. Le chien et le chat sont à présent calmés. Elle n'ose pas poser de questions et garde pour elle sa pénible expérience. L'année suivante, elle revient à Powderham pour une seconde chasse, mais cette fois, pas question de rester en arrière. Elle accompagnera les autres. Pourtant, en revoyant les lieux, elle ne résiste pas à demander à la comtesse de Devon s'il y a des fantômes dans le château. « Nonsense ! » répond celle-ci.

A la suite du récit d'Olympia, nous nous trouvâmes Justin et moi, un matin de printemps, dans ce Devon qui m'évoque puissamment le chien des Baskerville. Au détour d'une route de campagne bordée de murets de pierre, nous pénétrâmes dans un vaste parc. Des rhododendrons arborescents et autres buissons fleuris parsemaient les vastes pelouses. De longues allées d'arbres centenaires menaient à des prairies où s'ébattaient des chevaux. Tous les avantages des grandes propriétés anglaises se trouvaient réunis, plus le soleil et la mer scintillant à l'horizon. Sur une modeste hauteur se dressait, énorme, l'ancienne forteresse. Des ajouts victoriens lui conféraient un aspect assez mélodramatique. Sur le donjon flottait l'étendard des Courtenay : d'argent aux trois cercles rouges.

L'austérité toute militaire de l'extérieur ne laissait pas prévoir la somptuosité et le raffinement de l'intérieur. A travers le hall de marbre, les antichambres, le salon blanc, le salon bleu, la première bibliothèque, la seconde bibliothèque, le salon de musique, la grande salle des banquets, c'était toute l'histoire des arts décoratifs des XVIIe et XVIIIe siècles qui se déployait, du baroque richement ornementé à l'élégant dépouillement néo-classique. Les meubles, dus à des artisans locaux mais dignes des maîtres de la capitale, montraient avec quel bonheur les nobles propriétaires de Powderham avaient su dénicher des talents inconnus et leur donner leur chance. Sur les boiseries finement travaillées ou sur les murs tendus de damas, une admirable série de portraits évoquait les occupants successifs du château.

Le fils de la comtesse de Devon, lord Courtenay lui-même, conduisait la visite. Cet homme imposant semblait vouloir faire oublier sa très haute taille en marchant légèrement voûté. Courtois, peut-être timide, il paraissait un peu embarrassé dans ce rôle. A sa suite, nous avons monté le grand escalier aux panneaux rococo qu'une verrière inondait de lumière. Nous pénétrâmes dans une petite pièce qui servait de passage entre le palier et les appartements. Des boiseries de vieux chêne l'assombrissaient. Le seul mobilier était constitué d'une lourde table sur laquelle se trouvait un curieux objet en bronze rapporté d'une expédition punitive et qui, à l'origine, était placé au faîte du palanquin de l'impératrice douairière de Chine. A côté, deux boîtes de verre contenaient des coquillages originaux des tropiques. A travers l'unique et étroite fenêtre gothique assombrie par du lierre, j'apercevais le parc fleuri, ensoleillé, qui semblait appartenir à un autre univers

que cette pièce froide et austère. « C'est ici », dit lord Courtenay, et je compris qu'il s'agissait de la pièce hantée du château.

Cela s'était passé en septembre 1939. Le black-out était imposé sur tout le territoire. La mère de lord Courtenay, la comtesse de Devon, accompagnée de la gouvernante française, Mlle Irène Collard, faisait le tour de la maison pour vérifier que toutes les fenêtres étaient bien obstruées. Parvenues à cette antichambre, elles constatèrent que les volets n'avaient pas été fermés. Elles durent bouger la table placée devant la fenêtre et les deux grandes boîtes de verre contenant les coquillages, afin de rabattre les volets de bois ouverts vers l'intérieur de la pièce. Puis, tout étant fermé, elles allèrent chacune se coucher. Le lendemain soir, Mlle Collard partit seule faire la tournée d'inspection. Soudain, elle surgit dans le boudoir de lady Devon pour l'informer qu'elle ne pouvait pas fermer les volets de l'anti-chambre, qui avaient été rouverts sans doute par une femme de chambre. Mlle Collard étant de petite taille et la fenêtre plutôt haute, lady Devon ne s'étonna pas. Elle se rendit dans la pièce, saisit le bas des volets, essayant en vain de les faire bouger. Après plusieurs tentatives, intriguée, elle les exa-mina de plus près et découvrit que chacun d'eux avait été cloué contre le cadre de la fenêtre. Plus étrange encore, les clous semblaient fort vieux et rouillés, comme si l'opération remontait à bien longtemps. Elle convoqua le menuisier du château : « Qui donc a cloué ce matin les volets que j'ai moi-même fermés hier ? » Le menuisier la regarda, stupéfait. « Mais, Votre Seigneurie, ces volets sont fixés à l'encadrement depuis plus de trente ans. – Je vous répète que je les ai fermés moi-même hier. – Constatez vous-même. Il est impossible que ces volets aient été décloués hier. – Mais pourquoi donc ont-ils été cloués ? – C'est le défunt lord Devon, le beau-père de Votre Seigneurie, qui en avait donné l'ordre. » Le menuisier baissa la voix pour ajouter qu'à l'époque les domestiques se plaignaient qu'il était impossible d'ouvrir les volets. On disait que c'était l'œuvre du diable et qu'il valait mieux ne pas s'attarder dans cette pièce. Lady Devon dut se contenter de cette explication mais, impressionnée, elle prit son beau papier à lettres monogrammé pour relater ces faits étranges. C'est cette même lady Devon qui avait répondu « nonsense » à la question de ma cousine Olympia.

Et qu'en pensait lord Courtenay ? Le sujet paraissait le gêner quelque peu. Il avoua cependant que ses chiens détestaient traverser la pièce, et qu'enfant, lorsqu'il se rendait chez ses parents et devait y passer, instinctive-ment il pressait le pas. « Et les touristes, sentent-ils quelque chose ? – Ce n'est pas à moi qu'il faut le demander, mais à Michaël Thonason. » Le guide du château avait, en effet, enregistré des réactions étranges.

Ce jeune homme plein de vivacité, au langage fleuri, au regard inquiet et inquisiteur, aux cheveux prématurément grisonnants, fit montre d'une vaste culture. Il connaissait le château et son histoire dans les moindres détails. Et puis il s'intéressait de très près tant aux fantômes qu'à toutes les manifestations de l'au-delà. Il possédait dans ces domaines une sensibilité inhabituelle.

Il y a de cela quelques années, Michaël venait de commencer son travail

au château. Avec un autre guide, il se tenait dans la cour, lorsqu'ils virent surgir deux touristes qui couraient vers la sortie. Imaginant que peut-être ceux-ci avaient dérobé quelque objet, ils s'interposèrent. Les touristes se débattirent en hurlant. « Laissez-nous partir, il y a une main qui sort du mur dans l'antichambre du premier étage ! »

Une autre fois, Michaël faisait faire la visite. Dans le groupe se trouvait une femme enceinte. En pénétrant dans l'antichambre, elle poussa un cri. Elle venait, croyait-elle, de sentir les premières douleurs. Il fallut la transporter dans une chambre et appeler le médecin. Elle souffrait avec une violence d'autant plus incompréhensible qu'au bout de quelques heures il s'avéra qu'il s'agissait d'une fausse alerte.

Peu après, Michaël conduisait un groupe dans la roseraie lorsqu'une visiteuse se retourna et pointa le doigt vers la fenêtre gothique de l'antichambre. « Regardez, il y a une femme là-haut, elle nous observe. » Les touristes la fixèrent avec ébahissement car ils ne voyaient personne à la fenêtre. « Je la vois comme je vous vois, insista la visiteuse, elle a un air méchant. » Or, il était impossible qu'à cette heure-là qui que ce soit se trouvât dans l'antichambre.

Il arrive très souvent que des appareils photographiques qui ont fonctionné dans les autres pièces du château s'enrayent lorsqu'il s'agit de photographier cette pièce.

Michaël conclut de ses observations que c'étaient surtout les femmes et les adolescents qui réagissaient. Beaucoup se sentaient immédiatement saisis d'une incompréhensible faiblesse, certains étaient pris de nausée au point de vomir. Au cours d'une visite sur deux, ou presque, Michaël devait venir en aide à un visiteur saisi de malaise en entrant dans l'antichambre.

Il n'y a pas si longtemps, Michaël distingua dans un groupe un homme d'une cinquantaine d'années, qui paraissait tout connaître de l'histoire du château. Michaël, qui possède une excellente mémoire visuelle, était certain de ne jamais l'avoir vu auparavant. Intrigué, il lui demanda s'il était déjà venu et, pour toute réponse, l'homme eut un sourire énigmatique. La visite terminée, l'inconnu attira Michaël à l'écart. Il lui déclara que, s'il était ici, c'était que les esprits avec lesquels il communiquait l'avaient envoyé. Pendant toute la visite, il s'était senti accompagné par le troisième lord Courtenay, celui du XVIIIe siècle, un homme remarquable, grand mécène, qui avait le plus contribué à l'embellissement du château mais dont la vie avait été obscurcie par un fameux scandale. C'était lui qui avait soufflé au visiteur les détails tellement précis qui avaient impressionné Michaël. L'inconnu expliqua qu'il avait mission de libérer l'esprit retenu prisonnier dans cette pièce, afin de débarrasser le château de sa terrible emprise. Michaël, en dépit de tout, restait un peu sceptique. C'est alors que l'inconnu lui révéla sur lui-même et particulièrement sur son enfance des faits que personne ne pouvait connaître. Puis il tourna les talons et s'en alla. Depuis, Michaël ne l'a jamais revu ni n'a entendu parler de lui.

L'antichambre était hantée et d'une façon si désagréable qu'elle donnait envie de fuir. Je demandai à lord Courtenay quelle pièce se trouvait juste en dessous. « C'est curieux que vous me posiez cette question, car à la fin du siècle dernier, à l'occasion de travaux de plomberie, on a découvert une pièce jusqu'alors murée. Elle était vide, et le plus étrange c'est qu'elle ne figure pas sur les plans du château et que les archives ne mentionnent pas qu'elle ait été murée. Mes grands-parents en ont fait une salle de bains. – Comment s'y rend-on ? » Lord Courtenay me montra un escalier si étroit et sombre que je ne l'avais pas remarqué. Creusé dans le mur, il s'enfonçait sous le plancher et menait à une pièce minuscule peinte en blanc qui ne comportait qu'une baignoire et une table. Je priai qu'on me laissât seul. « C'est aujourd'hui vendredi 13. Peut-être cette circonstance vous aidera-t-elle, hasarda lord Courtenay. – Ni moi ni les fantômes ne sommes superstitieux. » Malgré cette repartie, c'est avec regret et même appréhension que je les vis disparaître. Je fermai la porte et m'assis sur la table. Je considérai la petite pièce dépouillée qui ne présentait apparemment aucun mystère. Mon regard fut cependant attiré par le coin le plus sombre, situé sous l'escalier. En descendant les marches étroites, j'avais éprouvé une sorte de répulsion, je l'avais chassée mais elle revenait plus forte, plus insistante, et en même temps je sentais une sorte d'appel... J'avais l'impression de m'enfoncer dans des sables mouvants, d'être lentement aspiré vers quelque chose d'innommable. Quelque chose de pesant, qui m'empêchait de bouger, de réagir. Je dus faire un effort surhumain pour me lever et aller jusqu'à l'étroite fenêtre. Ce fut encore un autre effort que de l'ouvrir, car elle n'avait pas dû être touchée depuis plusieurs dizaines d'années. Je laissai le vent de la mer et un peu de cette matinée ensoleillée pénétrer dans la pièce. Cela ne suffit pas à dissiper mon malaise et j'éprouvais maintenant un début de nausée. Je repensai à ce que m'avait dit Michaël ; je ne faisais pourtant pas partie des femmes ni des adolescents auxquels s'en prenait de préférence le fantôme. Pourtant l'envie de vomir augmentait. Quant à la force qui me menaçait, elle devenait plus précise, prenait presque une forme. Elle m'entourait, s'insinuait en moi. Il fallait que je sorte mais quelque chose de plus puissant que ma volonté me retenait. Je réussis néanmoins à ouvrir la porte et à escalader les marches. C'était comme si j'avais derrière moi quelque chose de vague et d'horrible qui me suivait jusque dans la petite antichambre. D'abord échapper au danger, et tant pis si je n'avais pas d'histoire de fantômes à raconter sur Powderham !

En quittant les lieux, je me retournai pour voir une dernière fois cette pièce maudite. C'est alors que j'avisai, à peine visible dans la boiserie, une porte. Plutôt que de fuir comme j'en avais l'intention, une intuition me fit

revenir en arrière. J'ouvris la porte, elle donnait sur un escalier encore plus étroit que celui de la salle de bains mais qui montait vers l'étage supérieur. Lentement, je gravis les hautes marches et je dus baisser la tête pour pénétrer dans une petite pièce qui se superposait exactement à l'antichambre. Elle ne contenait qu'un lit de fer rouillé et une armoire vermoulue. Visiblement, personne n'était venu là depuis des décennies, les toiles d'araignée avaient presque recouvert l'étroite fenêtre. J'étais entré, poussé par une invincible curiosité mais méfiant, aux aguets, décidé à ne rester qu'un instant. Et voilà qu'inexplicablement je me sentais rassuré, détendu, protégé. Du coup, je prolongeai ce moment de sérénité qui contrastait si fort avec ce que j'avais éprouvé dans la salle de bains. Je regardai le contenu des boîtes en carton éventrées qui débordaient de bristols d'invitation jaunis. J'ouvris l'armoire et trouvai quelques robes des années vingt, poussiéreuses, mangées de mites. Les éléments de ce décor auraient dû inspirer la tristesse ou au moins la mélancolie ; or j'éprouvais une impression de calme accueillant. Je m'assis sur les sangles du lit.

En ce milieu du XIXe siècle, l'aristocratie gouvernait l'Angleterre qui gouvernait le monde. Alors qu'une cour terne s'embourgeoisait avec une reine qui devait donner son nom à l'ennuyeuse ère victorienne, les grandes familles, elles, s'amusaient et dépensaient. Elles possédaient des fortunes colossales et des propriétés qui couvraient des comtés entiers. Selon le résultat des élections, elles occupaient à tour de rôle les plus hautes charges de l'État. Elles ne venaient à Londres que pour une courte saison de mondanités frénétiques, préférant vivre à la campagne. Chacune de ces familles était propriétaire de plusieurs châteaux qui regorgeaient de tableaux et de meubles inestimables, de collections inépuisables. Les saisons dictaient les migrations de ce milieu, aussi invariables que celles des oiseaux. Powderham était une résidence d'automne. Les hommes partaient tôt le matin à la chasse et ne revenaient que le soir pour parler de chasse. Grands et forts, ils portaient rouflaquettes ou favoris et fumaient le cigare. Pour dîner, ils endossaient l'habit rituel. Pendant la journée, les dames pouvaient se permettre de rester en négligé. Elles sortaient parfois faire de courtes promenades. Mais, la plupart du temps, elles se réunissaient dans un salon ou dans un autre, et ce n'était que jeux, bavardages, rires et potins. Le soir, elles hissaient le grand pavois, c'est-à-dire qu'elles revêtaient des robes à crinoline inconfortables et douloureusement serrées à la taille et qu'elles se couvraient de magnifiques, d'énormes bijoux dont l'éclat rivalisait avec celui de leurs épaules et leurs bras laissés nus et délicatement parfumés. Des centaines d'employés et de domestiques veillaient au confort des châtelains. Dans ce personnel, il y avait une jeune fille, menue, brune et bouclée. Avec son visage triangulaire, ses grands yeux bruns, sa bouche petite et charnue qui découvrait des dents minuscules et très blanches, elle était ravissante.

Il n'y a pas si longtemps, j'étais domestique dans ce château. Ma tenue m'allait bien. Selon les rangs, nos livrées avaient des détails différents. La hauteur de mon bonnet, par exemple, indiquait que j'étais la femme de chambre de la dame du château. Cette femme gaie et pleine de vie me faisait ses confidences et me racontait, entre autres, ses flirts innocents. En réalité, elle et son mari tous deux très jeunes, s'aimaient profondément. Je logeais dans une soupente située près de la chambre de ma maîtresse, ce qui me permettait d'accourir au moindre de ses appels.

Tout le monde savait que la petite antichambre était hantée et nous accélérions le pas quand il fallait la traverser. Quant à la pièce située au-dessous, elle avait été transformée en salle de bains, mais elle n'avait jamais été utilisée. Personne n'y descendait. Il y avait une sorte d'accord tacite sur le fait qu'il valait mieux ne pas se risquer dans l'escalier qui s'enfonçait sous l'antichambre. Chacun pensait qu'il y avait des secrets qu'il était préférable de ne pas chercher à connaître.

Je ne peux que soulever à peine le voile qui recouvre le mystère enfermé dans la petite salle de bains. C'est celui d'une femme pathétique et terrible. Elle commit un crime tellement atroce qu'en comparaison l'horreur de sa fin ne fut rien. Il ne faut pas s'intéresser à elle ni l'approcher, car elle veut entraîner dans le gouffre celui qui passe à sa portée. Elle tente de l'attirer pour imprimer en lui son histoire. D'elle émane, dans son effroyable splendeur, toute la puissance des ténèbres. De son vivant, elle fut l'instrument des forces souterraines ; elle l'est encore après sa mort.

Je suis son opposé, on pourrait dire sa contrepartie. Je ne vivais pas ici toute l'année car j'accompagnais ma maîtresse dans ses différentes résidences. Powderham, désert et silencieux pendant des mois, devenait à la saison de la chasse plein de vie, d'action et de gaieté. Une joyeuse animation régnait aussi dans les vastes offices du sous-sol, car à la foule des domestiques se joignaient alors les gardes-chasse qui, la journée finie, venaient se détendre, bavarder, boire un verre. Une année, je remarquai parmi eux un nouveau venu. Il était beau, grand, imberbe. Il avait des yeux bleus et des cheveux bruns en bataille qu'aucun peigne ne pouvait discipliner, un rire sonore et aussi un regard triste et intense. Il le posa sur moi et je tombai aussitôt amoureuse de lui. D'un an plus jeune que moi, il s'appelait Henry ; je m'appelais Mary.

Chaque soir nous nous retrouvions dans cette chambre. Il montait discrètement à l'heure du dîner des maîtres, puis il m'attendait pendant que j'effectuais mon service du soir auprès de ma maîtresse. Avait-elle eu vent de quelque chose ? Elle me retenait le moins possible et parfois me libérait alors que sa toilette n'était pas encore achevée.

J'avais un caractère enjoué, j'aimais rire et faire des farces. Henry gardait un fond de mélancolie. La distorsion qui existait entre ses aspirations, ses goûts et sa condition le rendait sombre. J'aurais voulu qu'il sourît aussi largement que moi à la vie ; dans cette pièce, nous avons dévoré le temps à belles dents. Nous ne voulions plus nous quitter et nous imaginions notre avenir. Henry voulait quitter le domaine, aller en ville, chercher un travail. Il se savait capable d'apprendre et d'exercer un métier intéressant et de gagner assez d'argent pour que nous vivions décemment. L'un et l'autre, nous n'avions que nos gages et, comme tous ceux qui avaient l'ambition de changer de condition, nous devions nous constituer au moins un modeste capital.

A la fin de la saison, il fallut donc se séparer. Henry restait à Powderham en tant que garde-chasse, et moi je suivais la famille dans sa résidence principale... Nous devions accepter notre sort, nous nous écririons et, dans un an au plus, nous serions à nouveau ensemble. Henry trouverait sans doute un moyen pour me rendre visite et puis, surtout, nous avions l'espoir de pouvoir un jour nous marier.

Peu après notre séparation, je m'aperçus que j'étais enceinte. Aussitôt, je modifiai nos plans d'avenir. Nous allions nous marier et continuer chacun dans notre service jusqu'à ce que nous ayons amassé suffisamment d'argent. Après tout, autour de nous, cette situation n'était pas exceptionnelle ; je comptais également sur l'indulgence de ma maîtresse pour nous réunir le plus souvent possible.

J'écrivis à Henry. J'attendais sa réponse avec impatience, certes, mais aussi avec toute la confiance que j'avais mise en lui. La réponse ne venait pas. Le doute s'insinua en moi. Et s'il reculait devant ses responsabilités ? Et si je m'étais trompée sur lui ? Pourtant, au fond de mon cœur, j'étais sûre qu'il m'aimait et ne m'abandonnerait pas.

Les jours passaient, le doute et la certitude alternaient en moi. Il devint clair qu'il n'y aurait pas de réponse. Qu'allais-je devenir ? Qu'allais-je faire ? Comment avouer que j'allais être fille mère ? J'aurais voulu me persuader que je n'aimais plus Henry, j'aurais voulu le maudire mais je n'y parvenais pas.

Et puis un jour, je reçus une lettre. Elle était écrite par un de ses camarades à qui il avait confié notre histoire. Henry était mort. Malgré son apparence de grand et solide gaillard, sa nature sensible en faisait un être fragile. Il avait attrapé une maladie foudroyante contre laquelle il n'y avait aucun

recours. *Pendant un mois, il souffrit et délira, et pendant tout ce temps il répétait mon nom. Il était mort en m'appelant, et moi, j'avais douté de lui.*

Henry n'était plus et mon âme s'en était allée avec lui. Mais j'attendais un enfant et il fallait bien que je vive. Je parlai à ma maîtresse et je n'eus aucune honte à lui avouer mon état. Il était hors de question qu'elle me garde à son service mais, au lieu de s'indigner, cette femme généreuse et charitable me donna un important pécule. Je quittai le château. Pas un instant je ne songeai à aller dans ma famille ou dans celle de Henry. Pour ce que j'en savais, ses parents n'auraient jamais pu envisager d'entretenir ou d'aider celle qui n'avait même pas été la femme de leur fils ; quant aux miens, leur puritanisme ferait de moi un objet d'horreur. D'ailleurs, ni les uns ni les autres ne s'inquiétèrent de moi.

Je retournai dans la région de Powderham, attirée par le souvenir de Henry. En lisière d'un village je trouvai une maison, petite mais confortable. Mes voisins m'entourèrent de leur sympathie et j'attendis la fin de ma grossesse. Mon temps vint. Au milieu des douleurs, j'étais impatiente de découvrir l'enfant de Henry. C'était un garçon, il était mort. Le chagrin qui m'avait rongée pendant tout ces mois ne lui avait pas permis de vivre.

Les villageois cessèrent de me rendre visite. Pas un instant je ne songeai à me supprimer, car Henry m'eût désapprouvée. Je me laissai simplement mourir. Si l'on désire mourir aussi fort que je le désirais, il suffit de patienter. La vie avait déjà déserté mon âme à la mort de Henry, elle quitta mon cœur à la mort de mon enfant. Je n'eus plus qu'à la laisser s'écouler hors de mon corps.

C'était un été chaud et ensoleillé. Par les fenêtres et la porte ouverte entraient jusqu'au lit où j'étais étendue le parfum des fleurs, le bourdonnement des insectes, le chant des oiseaux. A mesure que la mort approchait, la présence de Henry se faisait de plus en plus forte jusqu'à m'apparaître. Il se tenait debout au pied de mon lit et me regardait tristement. Je mourus par une magnifique journée. On ne me découvrit qu'une semaine plus tard : j'étais, paraît-il, bien conservée et je souriais.

J'étais morte avec au cœur une tristesse qui me condamna à l'état de fantôme. Depuis, je hante cette pièce, c'est celle que j'ai le moins habitée. Je n'y suis pas morte, mais mon destin s'y est joué. Je suis un modeste fantôme si je me compare à la dame qui hante l'antichambre. Son pouvoir est immense et ses sortilèges sont infinis. Pourtant, est-elle vraiment plus forte que moi dont le pouvoir se limite à faire éprouver à ceux qui pénètrent ici une sensation de bien-être et de sérénité ? Je suis heureuse de hanter cette pièce où j'ai connu le bonheur. Les fantômes qui ne sourient pas regrettent leur vie terrestre. Moi, malgré mon malheur, j'ai eu tout ce que la vie peut donner de meilleur, pour peu de temps certes, mais cela m'a suffi.

Je sais qu'un jour je reverrai Henry. Ceux qui se sont aimés se retrouvent et s'unissent à nouveau.

Lorsque l'enchantement eut cessé, l'heure avait tourné. Les touristes, les guides, et même les propriétaires repartis à Londres avaient quitté le château. J'en étais désormais le seul occupant. Je me levai, jetai un dernier regard autour de moi sur la petite chambre, et sortis sur la pointe des pieds. Je descendis les marches étroites, je ne me pressai pas pour traverser l'antichambre hantée. Une présence terrifiante et menaçante était quelque part tapie, mais désormais j'étais hors d'atteinte. Le grand escalier baignait dans une lumière glauque, je parcourus les salons envahis par l'ombre et je refermai sur moi la lourde porte de chêne du château. Une faible lumière vespérale éclairait la cour déserte.

Capulet et Montaigu de Provence

Château de Lagnes
Provence,
France

Le mariage d'amour entre Catherine et son château dure depuis trente ans. En ce jour de 1963 où elle eut la révélation, j'imagine qu'elle roulait comme nous roulons, en ce matin de septembre, sur la route qui va d'Avignon à Gordes. Il y avait probablement moins de circulation et moins de maisons de vacanciers. A l'époque, Catherine était une actrice pleine de jeunesse, de talent, d'avenir. Elle était le sosie presque parfait d'une des plus illustres comédiennes des siècles passés, Mme Favart, dont elle n'est pas loin de se croire la réincarnation. À gauche, elle aperçut, dominant le village de Lagnes un peu à l'écart de la grand-route, une masse de pierres blondes. Attirée comme par un aimant, elle quitta la route principale, prit la grand-rue du village, déserte à cette heure. Elle laissa la voiture au bas de la montée, suivit le chemin pierreux qui conduisait à l'entrée du château fort. Ce portail de fer que nous entrebâillons aujourd'hui n'existait sans doute pas et le domaine était ouvert à tous les vents. Les plans de pierres harmonieusement disposés et les terrasses aux dessins élaborés que nous découvrons n'étaient alors que des tas de gravats et de cailloux. Les grands cyprès montaient la garde devant les bâtiments qui, il y a trente ans, menaçaient ruine, les chèvres s'y promenant jusqu'au second étage. Le chien Titus qui nous accueille aujourd'hui n'était pas né, et ce fut le propriétaire qui apparut dans l'encadrement d'une poterne.

Il s'apprêtait à vendre le château à un marchand de cochons. Catherine, avant même de le visiter en détail, en était déjà tombée amoureuse. Elle réussit à obtenir du propriétaire qu'il attendît une semaine. Catherine, qui n'avait pas le premier sou, convainquit sa mère de l'aider, fit le tour de ses amis du théâtre, emprunta ici et là. Bref, elle réunit la somme et acheta le château. Aussitôt, elle se mit au travail, presque seule. Du matin au soir, elle transporta de lourds moellons, fit des mortiers, remonta des murs, bâtit des charpentes. Avant de se décider à acheter, elle avait tout de même pris ses précautions. Munie de photographies des lieux, elle était allée pour la première fois de sa vie interroger une voyante, une ancienne couturière qui vivait dans un sixième minable. Celle-ci l'avait vivement encouragée mais l'avait mise en garde contre les fantômes du château, en particulier celui dont les restes étaient dissimulés dans un renfoncement de la chapelle : « C'était un monstre, une horreur. Il aimait saigner ses victimes, saigner... »

Désireuse d'en savoir davantage, Catherine voulut consulter les archives du village. Un maire iconoclaste les avait vendues au poids à un marchand de frites pour en faire des cornets. Restaient les archives départementales. Et là, Catherine tomba sur une étrange histoire.

C'était au XVe siècle, du temps du « bon roi René ». Malheureusement il était toujours parti guerroyer loin de sa Provence bien-aimée et celle-ci, sans son suzerain, était devenue une terre d'insécurité et de pillage. Des bandes parcouraient la campagne et terrorisaient les honnêtes gens. Il arrivait que, de temps à autre, la maréchaussée attrape un truand. Un jour, un dénommé Maltostens est capturé. Le juge s'aperçoit vite qu'il s'agit là d'un comparse. Il suffit de l'interroger vigoureusement, selon les pratiques de l'époque, pour qu'il révèle le nom du chef de bande, Pierre Archilon. Ordre est donné de le rechercher et de l'appréhender. En fait, il est déjà en prison dans le château du seigneur de Lagnes, qui l'a fait arrêter pour quelque peccadille commise sur ses terres. A la première injonction de l'autorité suzeraine, il le livre à la justice de Provence. C'est une belle prise. Pierre Archilon détroussait les voyageurs, n'hésitant pas au besoin à les massacrer. Il blasphémait, se moquait de la religion. Il enlevait d'honnêtes femmes pour les livrer à la prostitution. Condamné à être pendu à une corde de chanvre, Pierre Archilon est exécuté dès la sentence prononcée. Le pays est débarrassé d'un fauve dangereux... Grâce au seigneur de Lagnes, qui avait eu la bonne idée de s'en saisir. Pourtant, le procès a révélé des choses assez étranges. Ce seigneur de Lagnes, bien connu de tous, est le fils d'un des plus hauts dignitaires de la cour du roi René où il a occupé les plus éminentes fonctions. Or ce seigneur qui a arrêté le bandit... en était l'ami intime. Certains témoignages laissaient entendre qu'il avait transformé son château en repaire ouvert à la bande de Pierre Archilon ; de là à en déduire qu'il aurait pris part à ses activités, il y a un pas que les juges se gardèrent de franchir et il ne fut pas même inquiété. « Tous les autres ont été pris et exécutés. Lui, à cause de sa naissance, de ses titres et de ses alliances, échappa à toute mise en cause », expliqua Catherine.

Ce seigneur avait pour nom Charles Saignet. La voyante avait bien « vu » un abominable truand, seulement il ne saignait pas ses victimes, il s'appelait Saignet.

La voyante avait ajouté que, pour la paix du château et celle de Catherine, il fallait enterrer ailleurs les restes du monstre. Suivant les indications qui lui avaient été données, Catherine avait repéré, dans un mur de la chapelle, un renfoncement qui semblait avoir été hâtivement bouché. Elle avait commencé à creuser et le plafond avait failli s'effondrer sur elle. Persévérant malgré tout, elle était arrivée à une sorte de trou d'où soufflait un vent glacial. C'est alors qu'elle glissa et manqua s'écraser au bas du mur. Alors elle renonça. Des archéologues reprirent les fouilles. Ils ne tardèrent pas à découvrir quatorze bols en poterie datant du Ve siècle avant Jésus-Christ, contenant des restes de charbon de bois. Ces coupes entouraient un coffret renfermant quelques ossements. La disposition de l'ensemble signifiait sans nul doute qu'il y avait eu un exorcisme. Catherine transvasa les ossements – il s'agissait sans doute de ceux de Saignet – dans une boîte, l'arrosa d'eau bénite et alla, du haut du célèbre pont d'Avignon, jeter le tout dans le Rhône.

La voyante avait affirmé à Catherine qu'elle devrait expier les péchés de Saignet, et Catherine, d'abord sceptique, eut toutes les occasions de s'en convaincre. Vivants et morts se relayèrent pour lui rendre la vie difficile sinon impossible. Elle s'était tout juste installée dans ce qui n'était encore que des ruines à peine aménagées que plusieurs nuits de suite, elle sentit qu'on tentait de l'étrangler dans son lit. A son réveil, son cou était marqué et douloureux. Ses champs, ses arbres — et seulement les siens — furent ravagés par le feu. Des pierres se détachèrent sans raison des murs qu'elle venait de reconstruire. On lui refusa des autorisations pourtant justifiées. Elle persévéra, elle s'obstina à habiter Lagnes, jusqu'à cette nuit funeste...

Catherine était allée à une représentation du festival d'Avignon. En revenant, elle aperçut de loin les flammes d'un énorme incendie : c'était son château qui brûlait. Lorsque les pompiers parvinrent à maîtriser l'incendie, ce sont dix-huit années de travail qui étaient anéanties. Allait-elle renoncer ? Pas un instant elle n'en eut la tentation. Au contraire, elle se reprit bien vite, se remit à l'œuvre et, pour la seconde fois, ressuscita le château de Lagnes. A nouveau le sort frappa. Un accident lui défonça le thorax et elle fut condamnée à de longs mois de souffrance et d'immobilité.

Tant de mauvais coups ne sauraient la décourager car elle connaît les maléfices accumulés par le lourd passé du château et a décidé de les vaincre.

Nous avons quitté la chapelle où les restes de Charles Saignet ont été découverts et nous arpentons les cours irrégulièrement pavées bordées de bâtiments et de remparts. Quelque chose m'étonne dans leur architecture et leur disposition : « On dirait qu'il y a eu non pas un, mais deux châteaux.

« – Mais il y a eu deux châteaux. A l'époque, Lagnes était une coseigneurie appartenant à deux familles rivales qui ne cessèrent de se déchirer et de s'assassiner les uns les autres. Mais il y a mieux, venez. »

Catherine nous conduit au dernier étage, dans une petite pièce ensoleillée où sur les parois s'alignent des alvéoles de plâtre, certaines vides, d'autres fermées. Un pigeonnier ? « Pas du tout, un columbarium. Dans ces niches, on mettait les cendres mêlées de plâtre des Vaudois massacrés durant les guerres de Religion. » Car Lagnes reçut la visite du sinistre baron des Adrets, au temps où catholiques et protestants se massacraient avec une férocité sans égale. Repoussant sans cesse les limites de l'horreur et donnant libre cours à ses instincts de fauve, des Adrets, qui fut alternativement catholique et protestant, horrifia ses contemporains pourtant repus d'atrocités. Dans le seul village de Lagnes, il fit deux cent quarante victimes. Les femmes furent étripées, les jeunes enfants rôtis à la broche et les cadavres des hommes furent donnés à manger aux pourceaux.

Après avoir un peu hésité, Catherine nous ouvre son bureau. C'est une pièce haute de plafond : cassettes, livres, papiers, vêtements même, s'y entassent dans le plus sympathique désordre. Elle nous montre un conduit partant de la cheminée où un trésor de pièces d'or fut découvert, hélas, avant qu'elle ne devienne propriétaire. Elle a toujours senti dans ce recoin une présence effrayante. Un soir, elle avait ramené une de ses amies comédienne. Elles regardaient à la télévision *King Kong,* le premier, l'admirable, le seul. Comme il faisait un peu frais, elles avaient mis un plaid sur leurs genoux. Soudain, l'amie sentit sur ses cuisses et ses jambes quelque chose d'humide et une odeur d'urine se répandit dans la pièce : un fantôme se soulageait sur elle.

Les fantômes de Lagnes ne sont pas tous désagréables, ainsi que l'avait prédit sa voyante... Le père de Catherine, avant d'accepter qu'elle ne s'engage dans la voie du théâtre, l'avait obligée à apprendre un métier manuel. Elle connaît parfaitement le travail de la faïence. Un jour, le conservateur du palais des Papes lui demanda de recréer des carreaux qui rappelleraient l'ancien pavement. Après des semaines et des mois d'efforts, d'essais, d'échecs, Catherine parvint à un résultat qui la satisfaisait. Le conservateur, enthousiaste, lui passa une énorme commande. Peu de temps après, en compulsant des archives, Catherine découvrit que son château avait appartenu, à la fin du Moyen Âge, à Jean Tescherie da Podio. Ce grand seigneur, grand homme d'affaires aussi, avait été un des commanditaires du pont d'Avignon... et avait fourni le pavement d'origine pour le palais des Papes, lequel rappelait étrangement celui que Catherine venait de créer. Puis un ami érudit lui envoya le contrat de mariage de ce sympathique prédécesseur découvert dans un coffre à Carpentras. En mettant ces éléments bout à bout, Catherine comprit que ce Jean Tescherie da Podio était le fantôme bienveillant dont lui avait parlé sa voyante.

En travaillant à la restauration de Lagnes, Catherine a souvent fait des trouvailles qui l'ont encouragée et lui ont permis de continuer. Elle n'a pas déterré des trésors, mais des éléments qui ont nourri son imagination poétique. La voyante lui avait parlé de trois fleurs d'oranger. Or, en fouillant sous un éboulis, elle trouva un écusson de pierre gravé de trois fleurs d'oranger. Ce sont les armoiries de l'égérie de Pétrarque à qui avait appartenu Lagnes : « Jamais la Laure de Pétrarque n'a été Laure de Nove, soutient Catherine. C'est une pure invention de la Renaissance pour flatter François Ier. La véritable Laure habitait ce château que d'ailleurs elle hante de façon bénéfique. » A l'appui de cette théorie, elle me montra maints volumes poussiéreux rédigés par d'infatigables érudits. Cependant la preuve la plus forte et la plus belle est apportée par le poète lui-même dans son sonnet 293 : « Cet arbre qui est le mien est bien celui qui porte la couleur dorée de l'Orient, et l'odeur de ses parfums dans ses fruits, dans ses fleurs, dans ses feuilles, c'est celui dont l'orange est le prix d'excellence sur tous les autres. Telle est cette douce Laure en qui habitent constamment toute beauté et toutes vertus. »

Pour donner vie et beauté à son château, Catherine peut aussi compter sur les cadeaux des amis. Ces riches armoiries en pierre de la famille Dullin, par exemple, que le célèbre acteur lui donna le jour où sa maison de famille fut démolie. Catherine avait été son élève avant de travailler avec Vilar et avec Planchon. Elle était amie de Ionesco et d'Albert Camus qui, avant elle, avait voulu acheter Lagnes. Et pourtant, pour son château, elle sacrifia sa carrière afin de se consacrer à la renaissance de ces ruines. Elle vit seule, en compagnie de quelques animaux familiers. Elle a choisi cette vie et décourage parfois les visiteurs. Cette femme cultivée, au langage élégant, a en réserve une indomptable énergie. Son château lui suffit, dit-elle, et si elle a besoin de communiquer, elle peut le faire avec une légion de fantômes, souvent plus agréables à fréquenter que les vivants. Il est vrai que, malgré les présences surnaturelles que « sentent » Catherine et ses amis, Lagnes ne fait pas peur. Le soleil, la vue splendide sur la région, la transparence de l'air, les volumes harmonieux des pièces restaurées par Catherine, l'agencement subtil des terrasses, la blondeur de la pierre créent une atmosphère lumineuse, chaleureuse, accueillante. A Catherine qui guette mes réactions, j'avoue que je ne me sens en rien oppressé. Je demande à rester seul dans les combles. « Dans le grenier, s'exclame Catherine, mais il n'y a pas de fantôme dans le grenier ! »

« Certes, les fantômes sont une réalité, mais ceux qui y croient avec trop de passion et s'imaginent en sentir en toute occasion, finissent par les créer. Leur fantasme est si fort qu'ils peuvent même transmettre cette conviction à d'autres. Ainsi, par le pouvoir d'une illusion, des fantômes naissent, vivent et meurent qui ne sont que le fantôme d'un fantôme, exclusivement liés à l'état psychique de ceux qui les inventent. Certains êtres ont une pensée négative, ils voient les choses de travers même s'ils ne sont pas mauvais. Ils émettent ainsi des sortes d'ondes qui sont à l'origine de la plupart des manifestations mises sur le compte des fantômes et qui suscitent les inepties racontées sur eux. Plus redoutables que les véritables fantômes sont les fantômes créés par les vivants, et plus redoutables encore, les vivants eux-mêmes. Nous autres, prisonniers, solitaires, nous n'avons pas de quoi faire peur. Et lorsque les vivants affirment avoir rencontré des fantômes agressifs ou dangereux, ils n'ont, en fait, rencontré qu'eux-mêmes...

A une époque reculée il y eut sur ce roc deux châteaux, à une distance infime l'un de l'autre. Ils appartenaient à la même famille mais une succession divisa la propriété. Des mariages firent sortir ces deux castels de la famille initiale, et c'est ainsi que deux tribus se retrouvèrent face à face. Elles étaient ennemies comme peuvent l'être des frères, c'est-à-dire d'une façon inexpugnable. La cause originelle de la querelle était depuis longtemps oubliée et cette haine se nourrissait d'elle-même. Chaque famille s'accrochait à son castel pour narguer l'autre, et si l'une avait disparu, l'autre n'aurait pu tenir.

Cette haine sournoise et perfide s'exprimait à coup de chicanes, de procès, d'attaques indirectes, de vols et même d'enlèvements, mais de façon toujours détournée afin de ne jamais désigner clairement les coupables. Des campagnes de calomnies, des dénonciations auprès des autorités entretenaient la haine bien plus sûrement qu'un bombardement.

Je m'appelais Laure. Je naquis non loin d'ici. J'étais une sauvageonne. Enfant, je disparaissais dans la campagne avec les pauvres dont je faisais ma compagnie. Je rapportais des herbes, des fruits sauvages, des fagots de bois mort. Très jeune, je fus accordée à l'héritier du seigneur d'un des deux châteaux. Il était beau, il était riche. Je n'avais pas de fortune, je n'étais pas

jolie. *Il m'épousa pour mon nom. Le mariage était arrangé mais il me combla car je m'étais éprise de lui.*

   Le soir de nos noces, après la cérémonie, nous revînmes au castel pour un banquet de famille. Alors, de même qu'un preux est armé chevalier, qu'un mage reçoit la consécration, qu'un membre d'une société secrète passe les épreuves conduisant à la connaissance, de même ce soir-là je fus initiée à la haine qui nous séparait de nos voisins. Je peux dire qu'en guise de cadeau de mariage, je reçus cette haine. Je m'aperçus vite qu'elle me volait mon mari qui, par nature, n'était ni méchant ni vindicatif. Il n'était jamais entièrement à moi, car il était toujours sous l'emprise de cette obsession. J'essayai de le raisonner, de le libérer, mais j'échouai.

Or ces monstres, qui chez nous occupaient tous les esprits, je ne les avais jamais vus. Depuis des générations, les deux familles faisaient comme si l'autre n'existait pas, tout en ne cessant de s'espionner. La curiosité naquit en moi, se développa, m'incendia presque. Je voulais voir nos ennemis. Pas question d'aller sur leurs terres. Les apercevoir au village, à la messe, aux fêtes de village, aux foires ? Impossible, chaque famille avait des guetteurs qui surveillaient les déplacements et les avertissaient afin qu'elles ne se rencontrent jamais.

Retrouvant les habitudes de mon enfance, j'allais marcher dans le maquis.

Un jour, en me promenant, je croisai sur le sentier un jeune homme, à l'expression si douce qu'il avait l'air d'une femme. Notre instinct nous fit comprendre immédiatement que nous étions en présence d'un membre de la tribu ennemie. Il devait chasser les oiseaux car il tenait une fronde à la main. Il me fixa de ses yeux bleus, l'étonnement peint sur son visage : après tout, je n'avais pas l'air d'une sorcière. Cela ne dura qu'une seconde, puis chacun poursuivit son chemin.

Je laissai passer quelques jours avant de retourner sur ce même sentier. Il était là, sa fronde à la main. Nous nous croisâmes et il y eut entre nous l'ombre d'un sourire. Aussitôt, il se reprit, effarouché par sa propre audace. L'aura de mystère et d'horreur qui entourait mon nom me rendait probablement séduisante.

Le manège recommença plusieurs fois et, un jour, nous nous présentâmes l'un à l'autre. C'est moi qui pris les devants, je lui dis mon nom, Laure, et fis une révérence. Il s'inclina et murmura qu'il se prénommait Chrétien. J'enchaînai aussitôt en lui demandant de m'apprendre à utiliser la fronde. Ainsi débuta notre amitié.

Dans cette atmosphère de haine permanente, cette rencontre fut pour moi un apaisement. Ce jeune homme, de toute évidence, ne pouvait ni l'éprouver ni en être l'objet. Il ne me déplaisait pas de prendre, en quelque sorte, une revanche et de mystifier ma belle-famille dont l'entêtement me pesait.

J'étais séduite par son enthousiasme juvénile. Jamais nous n'avons parlé de nos familles ni de la haine qui les séparait.

Un jour, alors que nous étions assis côte à côte, il se pencha vers moi et m'embrassa maladroitement, puis se redressa, horrifié. Je lui souris et nous nous séparâmes.

Le lendemain, je ne le trouvai pas au lieu habituel. Pendant trois jours il ne vint pas, le quatrième, il était là. Entre-temps, il était tombé amoureux fou de moi. Malgré son inexpérience, il apprit vite les gestes de l'amour. Cependant, je refusais de devenir sa maîtresse. Il en était malheureux, et moi, je ne voulais pas voir le danger que représentait sa passion que les obstacles rendaient encore plus dévorante. Il me plaisait de croire qu'il ne s'agissait que d'une amourette. Pourtant, je sentais son désir le tenailler et il se fit de plus en plus pressant. Fallait-il céder ou alors ne plus le revoir ? Je n'eus pas le temps de trancher ce dilemme.

Alors que nous étions allongés sur l'herbe jaunie, dans les bras l'un de l'autre, des chasseurs surgirent. Il y avait le frère aîné de Chrétien, ses cousins, ses oncles. J'entends encore leurs exclamations d'horreur et de triomphe. Ils se saisirent de moi et m'amenèrent dans la grande salle de leur château. Ils alertèrent tous les membres de la famille présents, ainsi que les vassaux et même les serviteurs. Ils me montraient du doigt. "Regardez la putain d'en face", répétait le frère aîné de Chrétien. Ce dernier n'assista pas à la scène, je suppose qu'ils l'avaient enfermé quelque part. Depuis des années, j'avais voulu voir nos ennemis, j'avais échafaudé des romans, et alors que j'étais maintenant en leur pouvoir, je ne leur trouvais rien d'impressionnant. Ils eurent la perfidie de ne pas me retenir. Après m'avoir exhibée, ils me laissèrent rentrer chez moi, mais déjà la nouvelle se répandait.

Quand la porte de leur château se referma derrière moi, je contournai le rocher pour rejoindre l'entrée principale de notre demeure. J'eus la tentation de me sauver dans le maquis et de ne jamais revenir. Pourtant, j'entrai. Ils étaient tous assemblés dans la grande salle, comme lorsque mon beau-père rendait la justice. Le silence le plus épais régnait. Mon mari me fixa comme s'il voyait une morte. Les autres me dévisagèrent avec dégoût, les plus jeunes avec stupeur. Sur un geste de mon beau-père, les femmes m'emmenèrent dans une pièce voisine, tandis que les hommes statuaient sur mon sort. Personne ne m'adressa la parole ; à intervalles rapprochés, les femmes allaient aux nouvelles et se les répétaient entre elles à voix assez haute pour que j'entende et que je tremble. On envisageait de me répudier, de m'enfermer dans un couvent, de m'emprisonner. Mon mari, trop accablé, n'intervenait pas. Finalement mon beau-père trancha. Il avait de l'affection et je crois même un faible pour moi. Il décida que je serais reléguée dans un appartement et que je ne sortirais plus de l'enceinte du château. Les arrêts à domicile, en quelque sorte. Je fus ramenée dans la grande salle pour entendre mon beau-père m'annoncer la sentence. Il me conduisit lui-même dans ce grenier, à l'époque divisé en petites pièces composant des appartements.

J'étais autorisée à en sortir et à me promener dans l'enceinte du château, mais personne n'avait le droit de me regarder ni de me parler. Dès que j'apparaissais, ceux qui avaient constitué ma famille, mon mari, se détournaient. Très vite, j'ai préféré rester dans mon grenier. Ils en usaient avec moi comme avec la tribu des ennemis : ils ne me voyaient pas, je n'existais pas.

Le dimanche, j'allais à l'église, les gens du village s'écartaient. Mon beau-père, en voulant m'épargner, rendit mon sort plus effroyable que si j'avais subi les pires châtiments. Les années passaient, rien ne changeait, j'étais comme au premier jour traitée en pestiférée et mon mari me fuyait plus que tous les autres. Lorsque mon beau-père mourut, j'espérai une amélioration de mon sort. Rien ne vint.

Quant à Chrétien, je sus ce qu'il était advenu de lui par une femme de la famille qui le raconta à une autre, bien haut pour que je puisse l'entendre, tandis que j'allais respirer un peu dans la cour. On l'avait envoyé de force aux croisades, il était mort, je n'ai jamais su comment, peut-être dans un combat contre les Sarrazins, peut-être de maladie. Il avait laissé sa vie sur des rivages lointains que je ne connaîtrais jamais.

La haine n'est pas venue tout de suite. Il m'a d'abord fallu épuiser mon désespoir afin qu'elle prenne sa place. Mais brusquement, je retournai contre eux le sentiment qu'ils avaient tenté d'incruster en moi. Je me mis à les haïr. Ce n'est plus seulement à l'extérieur mais à l'intérieur de leurs murs que se développa désormais le foyer destructeur. Cette haine me soutint, elle devint ma compagne et ma raison de vivre. Aussi silencieuse que le silence qu'ils m'imposaient, j'en vins à lui attribuer le pouvoir de provoquer les catastrophes qui leur arrivèrent. Des tempêtes et diverses intempéries endommagèrent leurs terres, anéantirent leurs récoltes. Des disputes d'héritage les divisèrent, des accidents, des morts prématurées les accablèrent.

Chacun de ces malheurs me réjouissait car je les avais maudits, tous, sauf mon fils. Lorsque j'avais été condamnée, j'étais enceinte, et lorsque mon enfant naquit, il me fut aussitôt enlevé. Dès qu'il fut en âge de comprendre, on lui dit que sa mère était morte, et aux questions qu'il posait lorsqu'il me voyait, on lui répondait que j'étais une parente éloignée devenue folle. Malgré les occasions qui se présentèrent, je ne lui révélai pas mon identité, pour ne pas faire retomber sur lui le poids de ma honte. Pendant des années, j'ai subi la torture de le voir grandir tout près de moi en devant réprimer le moindre geste maternel. Puis sa grâce et sa fragilité d'adolescent le firent ressembler à Chrétien, et le sentiment que j'avais éprouvé pour le jeune homme se confondit avec celui que j'éprouvais pour mon fils.

Lorsque son père, mon mari, mourut prématurément, je passai du statut d'épouse adultère à celui de mère du châtelain. Sans que rien n'ait été dit, mon sort s'améliora. On n'allait certes pas jusqu'à me parler, mais je surpris des sourires de sympathie. Pour la première fois, le prêtre fit autre chose que me donner l'absolution. Il proposa d'apprendre à mon fils qui j'étais. Je refusai. Je ne voulais pas lui faire porter la culpabilité de son père et de la famille de son père, qui m'avaient si longtemps laissée dans cette situation infamante. A ses propositions pleines de soudaine sollicitude, je répondis au prêtre que je n'avais besoin de rien, et surtout pas d'être installée dans un couvent où je vivrais entourée par l'affection des religieuses. La seule chose qui m'importait était de demeurer auprès de mon fils sans rien changer à mon existence. Je voulais le protéger. Tous les jours, je priais ardemment pour que ce jeune homme, si beau, si doué, si ardent, réussisse. Hélas ! Il perdit bataille sur bataille, qu'elles soient militaires ou juridiques. Ses enfants moururent tous en bas âge, et il fut malheureux en ménage. Il supportait avec courage et dignité ces coups causés par la haine que j'avais moi-même engendrée et que je ne pouvais plus contrôler. Il fut surnommé le « malchanceux ». Peu à peu sa fortune déclina et le château sombra dans la décrépitude.

Lorsque l'âge et les épreuves me firent tomber malade, lui-même était épuisé par sa vaine lutte contre l'adversité. Le prêtre qui me rendit visite sur mon lit de mort proposa de faire venir mon fils. A nouveau, je refusai. Je ne voulais pas lui infliger un dernier coup, peut-être le pire. Le prêtre évoqua alors ceux qui m'avaient condamnée et parla de pardon. Il faisait fausse route, je les haïssais plus encore depuis que je leur attribuais non seulement mon malheur mais, indirectement, celui de mon fils. Il n'y avait pas si longtemps que l'un d'eux, un cousin de mon mari, était venu faire amende honorable. Je l'avais renvoyé. « Pardonnez-leur », insistait le prêtre. « Je les hais », lui ai-je répondu dans un dernier souffle.

Le duel secret

Schloss Schwarzenraben
Westphalie,
Allemagne

C'est la lumière que je remarque tout d'abord, une lumière grise dorée qui semble venir de nulle part. Nous sommes dans la vaste plaine de Westphalie. Le paysage de champs bordés de bosquets et de haies est extrêmement paisible. Après avoir suivi une longue allée de tilleuls, nous entrons dans une première cour bordée de communs à la française qui mène par un pont-levis toujours en service à la cour d'honneur du château de Schwarzenraben. Il se dresse au milieu des eaux mortes de ses douves entourées d'arbres séculaires. Il présente cet élégant style baroque tellement en vogue dans la seconde moitié du XVIIIᵉ siècle. Comme toutes les grandes demeures de la région, il est construit sur des pilotis enfoncés dans une terre jadis marécageuse. Une grande famille locale, les Hörde, fit construire Schwarzenraben mais on ne sait pourquoi fut donné au château ce nom de « corbeau noir ». Il a succédé à une demeure bien plus modeste, qu'un Hörde, pris du démon de l'orgueil, détruisit et remplaça par ce palais. Ce Hörde occupait les plus hautes fonctions auprès du prince-archevêque de Cologne, Clément-Auguste de Bavière. On racontait qu'il avait invité le souverain à la chasse, et que celui-ci, très mauvais fusil, l'avait criblé de plombs dans la jambe. Plein de remords, Clément-Auguste avait multiplié pour sa victime les honneurs et les récompenses. Et Hörde s'était fait construire cette résidence princière.

Schwarzenraben passa par héritage aux Ketteler, de vieille souche westphalienne. Au siècle dernier, un Ketteler, archevêque de Munster, fut un des pionniers du progrès social. Honnêtes et droits, serviteurs zélés de leur patrie, les Ketteler sont aussi des amateurs raffinés, comme le montrent leurs collections d'objets et de tableaux.

La baronne Maria von Ketteler nous accueille. Malgré ses quatre-vingt-sept ans, malgré les rhumatismes qui rendent tout déplacement pénible et douloureux, elle est d'une courtoisie exquise à l'ancienne, elle a l'œil vif, s'intéresse à tout, son entrain semble inépuisable et son appétit de la vie inextinguible. Appuyée sur sa canne, elle nous fait faire le tour du château. Nous empruntons un majestueux escalier au plafond duquel danse tout un monde de putti. Nous traversons des salons aux opulents meubles marquetés et aux murs peuplés de portraits d'ancêtres. Nous admirons des salles de fête rococo, des cabinets aux stucs aussi fins que des dentelles. Nous nous recueillons dans une chapelle peuplée de saints dorés gesticulant en tous sens.

Et ces fantômes, baronne ? Elle y croit sans y croire. Au cours de sa longue vie, elle en a tellement vu ici bas que l'au-delà ne la passionne guère. Le souvenir de la dernière guerre ne la quitte pas, dont elle raconte avec verve les dangers vécus. Aux poursuites des nazis succédèrent les exigences des Alliés. Son mari disparut, et elle resta longtemps sans nouvelles. Elle subit les bombardements et désormais il lui fallut se protéger des prisonniers d'un camp voisin qui s'échappaient pour piller et tuer. Les réfugiés remplissaient chaque recoin du château, elle devait en nourrir des centaines alors qu'il ne restait plus rien à manger. En avril 1944 se présenta un général américain qui réquisitionna le château et lui ordonna de déguerpir sur l'heure. Elle le mena à la chapelle. L'Américain resta longtemps silencieux, songeur. Le miracle s'accomplit. L'Américain renonça et laissa le château à la baronne à une seule condition : « Laissez-moi emmener mes officiers dans la chapelle. »

Une semaine plus tard, autre général américain et même ordre de vider les lieux. Qu'espérer, sinon un second miracle ? La baronne lui indiqua le chemin de la chapelle : « Êtes-vous catholique ? – Non, je suis juif. » Pourtant, lui aussi renoncera à occuper le château. A la voir dans le chaos de l'après-guerre se démener pour trouver des solutions aux problèmes qui se multipliaient, un GI ne put s'empêcher de lui dire : « Vous seriez tellement mieux dans un deux pièces à Chicago. »

Tout en évoquant son passé, la baronne nous a conduits dans la grande salle centrale du premier étage. Son ovale parfait, son somptueux décor, ses grands miroirs ternis disposés entre les hautes fenêtres ouvertes sur le parc, ses murs de marbre ornés de portraits de princes-évêques font de cette vaste pièce le parfait décor d'un bal du passé. En fermant les yeux, on pourrait presque entendre une épinette jouant une valse désuète et imaginer quelques couples en train de danser silencieusement. La baronne ouvre une porte incrustée de bois précieux qui donne sur une ancienne bibliothèque aujourd'hui désaffectée. « C'est dans cette pièce que le drame a eu lieu. »

Son nom était Maria Anna von Hörde, elle vécut à la charnière du XVIIIe et du XIXe siècle, mariée contre son gré à un homme qu'elle n'aimait pas. Si l'on dispose de fort peu d'informations sur sa vie terrestre, en revanche, on connaît très bien ses activités post mortem.

Sa carrière de fantôme commence au milieu du XIXe siècle. Deux cousines de la maîtresse de maison, qui devaient arriver tardivement au château, prièrent celle-ci de ne pas les attendre. Pourtant le lendemain matin, elles la remercièrent d'avoir envoyé quelqu'un à leur rencontre. Or l'hôtesse n'avait envoyé personne. Pressées de questions, les cousines décrivirent de façon précise l'apparence et le vêtement de la dame. La baronne pâlit, mena les cousines devant le portrait de la « Dame bleue » : c'était bien elle !

Plus tard, le château resta abandonné pendant une trentaine d'années. Dans le voisinage, personne ne voulait s'en approcher, parce qu'il avait la réputation d'être hanté. On disait qu'une femme y déployait de terribles maléfices. Ce furent les beaux-parents de la baronne Maria qui, osant braver la « Dame bleue », rendirent vie à l'ancienne demeure.

Mais d'abord, pourquoi la « Dame bleue » ? Tout simplement parce qu'elle avait... une chevelure d'un roux flamboyant comme le montre son portrait. Le rouge étant la couleur du diable, il ne faut pas l'évoquer, de peur de l'attirer. Comme personne n'a les cheveux bleus, et que le diable déteste cette couleur, l'appeler la « Dame bleue » ne présente aucun risque.

Il faut préciser que la « Dame bleue » n'a jamais attaqué ni menacé qui que ce soit. Elle ne parle pas, n'apparaît à aucun membre de la famille Ketteler, elle ne se montre qu'à certains domestiques et à quelques hôtes. Silhouette fugitive qui se manifeste dans l'escalier, dans une galerie, dans un salon, elle ne fait que passer et sembler demander qu'on prie pour elle. Dès que sa requête a été saisie, elle n'insiste pas et disparaît. Est-il possible que ce fantôme discret ait tapé à deux reprises sur l'épaule d'un vieil ami de la famille en arrêt devant son portrait, le jetant dans la plus intense panique ?

Une fois, une seule, elle se montra violente. C'était en 1928. Un prêtre venait chaque fin de semaine passer la nuit au château et dire la messe du dimanche matin. Un samedi, il entreprit de prouver que les fantômes n'existaient pas et que, s'ils existaient, il se faisait fort de les exorciser. Avec l'aide du domestique Herman, il décrocha le portrait de la « Dame bleue » et le glissa sous son lit. Le lendemain matin, il était si pâle et épuisé que c'est à peine s'il put dire l'office. Pendant longtemps, il refusa de parler de cette nuit et la moindre allusion le mettait hors de lui. Puis un jour, il confia à un ami ce qui était arrivé : vers trois heures du matin, il s'était réveillé en sursaut : quelqu'un était assis sur sa poitrine, et tentait de l'étrangler. Lorsqu'il voulut repousser cet assaillant, son bras ne rencontra que le vide et son regard que l'ombre de la nuit. Il était déjà à demi étouffé lorsqu'il eut l'idée – et la force – de crier : « Je te remettrai à ta place. » Aussitôt, l'attaque cessa. Sans attendre le matin, il se précipita pour raccrocher le portrait de la « Dame bleue » sur son mur. Plus jamais il n'accepta de coucher au château.

Un autre prêtre, jésuite, s'entendait, lui, très bien avec la « Dame bleue ». Il la voyait quotidiennement dans sa chambre, proche de la chapelle. Un jour, la belle-mère de la baronne Maria se réveilla avec une cruelle rage de dents. Avant même de convoquer le médecin, on fit appel à la rebouteuse de la ville voisine de Lippstadt. Elle passa lentement ses mains sur la tête de la baronne douairière et aussitôt la douleur disparut. Sur ces entrefaites, le médecin arriva. Quelle honte s'il découvrait la sorcière ! On la poussa derrière la première porte qui se trouva être celle de la chambre du jésuite : la magicienne et l'homme de Dieu face à face. Elle examina la pièce, lentement et « sentit » la « Dame bleue ». Aimablement, elle proposa au prêtre de l'en débarrasser à tout jamais : « N'en faites rien, elle est ma seule distraction dans la vie. »

Le fils de la baronne Maria, Karl von Ketteler, l'historien de la famille, hésite à identifier Maria Anna von Hörde avec la « Dame bleue », certains détails de son portrait étant en contradiction avec l'époque où elle est censée avoir vécu. Par ailleurs, si Maria Anna était le fantôme qui hante Schwarzenraben, elle ne serait pas morte en odeur de sainteté et n'aurait pas été enterrée dans le chœur de l'église paroissiale.

Je voulus savoir si le château comportait des greniers. Il y en avait mais nous risquions de nous y salir, répondit la baronne. Cependant, devant mon insistance, elle accepta de m'en confier les clefs et tint à nous y emmener elle-même. Après avoir grimpé un sombre escalier de bois, Justin et moi nous nous retrouvâmes devant une petite porte qu'il fut malaisé d'ouvrir. Depuis longtemps, personne n'avait pénétré dans ces combles immenses et surencombrés. Sous les housses se devinaient des sièges, des morceaux de boiseries, des cadres, des armoires. Malgré les poutres en fer qui avaient remplacé les anciennes poutres de chêne, le décor paraissait ne pas avoir bougé depuis des siècles. Je me faufilai parmi les formes indistinctes jusqu'à l'endroit le moins éclairé – et le plus inquiétant – du grenier. Je retirai la housse noire qui cachait un canapé néo-gothique et je m'assis, soulevant des nuages de poussière. Autour de moi dans la pénombre, meubles et objets recouverts de draps prenaient des apparences fantastiques.

Très vite, j'eus l'impression de partir, de survoler un paysage vallonné et des villages d'un autre temps. Un autre château m'apparut, celui-là en briques rouges, peut-être la première demeure des Hörde. Un début de récit bizarre, des propos décousus me venaient à l'esprit... Je soupçonnais qu'on cherchait à m'égarer et que je faisais fausse route. J'ouvris les yeux et je chassais les images qui m'étaient venues. Il ne me fallut pas attendre longtemps pour sentir qu'elle était là. J'arrivais à la situer à gauche, à quelques mètres de moi. Une femme grise ou enveloppée de gris. Elle dégageait quelque chose de déplaisant...

« *Comme c'était d'usage à mon époque, mon mariage fut arrangé. Le baron épousait une riche héritière qui heureusement n'était point laide. Quant à moi, la mariée, mon éducation m'avait appris à savoir accepter mon sort. Ce n'est qu'après la cérémonie et les premières semaines passées en sa compagnie que je découvris la misogynie et même la cruauté de mon mari. Il me fit des enfants sans jamais m'aimer, et devait bien sentir que je le méprisais,*

qu'il me répugnait. J'accouchais à contre-cœur et ces enfants, nés sans amour, vivaient sans amour. Jour après jour, notre cohabitation se poursuivit, jusqu'à la guerre, ou plutôt jusqu'aux guerres.

Nous avions observé la Révolution française avec appréhension certes, mais aussi avec un certain détachement ; cela nous paraissait si loin – pas seulement à cause de la distance –, si invraisemblable. Puis elle déborda, et soudain la guerre fut à nos portes. Une fois déchaînée, elle ne s'arrêta plus. A chaque passage d'une armée, tout le village se réfugiait chez nous. Je devais à la fois héberger, nourrir, consoler et empêcher les maraudages, les vols. Je me demande comment nous avons pu garder nos demeures, nos terres et, tout simplement, notre tête sur nos épaules. Les envahisseurs passaient et repassaient, semant pillage et destructions. Parfois, un acte de générosité ou d'héroïsme individuel flamboyait au-dessus de la médiocrité générale tel un rayon de soleil, mais bien vite nous étions replongés dans l'égoïsme forcené, la lâcheté et la petitesse.

On aurait pu imaginer que les dangers permanents coloreraient ma vie et que la peur en chasserait l'ennui. Pourtant, je gardais une curieuse indifférence vis-à-vis des événements qui, pour ainsi dire, nous assiégeaient. Je vivais constamment dans un tourbillon menaçant mais avec l'impression d'être dans l'œil du cyclone là où règne le calme. Aussi la guerre ne modifiait nullement ma triste situation personnelle.

Pour me désennuyer, j'avais souvent recours à la coquetterie. Châtelaines de la province ou nobles dames de Münster, nous suivions avec passion les changements de la mode. La longueur de la robe, la hauteur du corsage, la couleur du voile étaient des événements autrement importants que les batailles, les alliances ou les traités. Le pire n'était pas de voir le château bombardé, on en prenait l'habitude, mais de ne pas recevoir à temps les modèles de Paris. Cependant, après être restée des heures à ma coiffeuse ou devant mon miroir, je me demandais pour qui j'avais revêtu cette robe au décolleté audacieux, pour qui j'avais posé sur mes épaules ce châle rouge dont la teinte s'accordait avec ma chevelure rousse. Je dévorais les romans qui venaient de paraître. En dépit des roulements de tambour et des sonneries de trompette qui remplissaient l'époque, le Romantisme pointait, avec ses amours éclatantes ou discrètes, mais toujours malheureuses. Les affaires de cœur prenaient insidieusement le pas sur les affaires du monde. Plus je lisais, plus je m'identifiais aux héroïnes de mes lectures.

Et puis, un jour, arriva ce Français avec un billet de logement. C'était un officier à l'uniforme rouge brodé d'or, un beau parleur, doté de moustaches et d'yeux noirs. Ma coquetterie eut un but puisqu'il me voyait et mes lectures

devinrent utiles puisqu'elles me dictaient la conduite à tenir en sa présence. Il lui aura suffi d'un compliment un peu osé, d'un regard un peu appuyé pour que je tombe dans ses bras.

J'étais une jolie laide, j'avais ce quelque chose d'attirant qu'on appelle du chien. Mon amant me répétait que j'avais du feu en moi. Lui pétillait comme ces bâtonnets que nous enflammions et qui faisaient une gerbe d'étincelles avant de s'éteindre. Il n'avait rien de bien remarquable, et devait plaire aussi bien aux servantes de ferme qu'aux vieilles filles incasables. Mon état moral me mettait à égalité avec les unes et les autres. J'ai aimé pour ne pas mourir, car la froideur de mon mari et ses mauvais traitements m'avaient progressivement détruite, annihilée au point que je ne pouvais presque plus respirer. Ma liaison me permit de refaire surface. J'avais cru aimer follement le Français, mais très vite je sus que seul le plaisir me retenait à lui, ce plaisir que si souvent nous avons connu dans ce grenier. Lui, en revanche, tomba réellement amoureux de moi.

Bien entendu, mon mari détestait la Révolution française et Bonaparte. D'ailleurs, pour lui, Révolution et Bonaparte étaient la même chose. Tout ce qu'il voyait, c'est que l'ordre établi était bouleversé, qu'avec ces guerres et ces invasions il ne pourrait plus mener cette existence étriquée au milieu de ses terres. Il ne pouvait supporter la présence de ces maudits Français, les émigrés d'abord, les soldats de Bonaparte ensuite. Sa rage, mûrie pendant des années, s'était concentrée sur l'officier qu'il était obligé d'héberger. Le baron était lourd, le Français était léger. Le baron était silencieux, le Français était un moulin à paroles. Le baron n'avais aucun succès avec les femmes. Le Français brisait les cœurs.

Lorsque le Français commença à me faire la cour, mon mari voyant que je n'y étais point insensible sentit sa rage se décupler, d'autant qu'elle n'avait pas d'exutoire. En effet, s'il savait être méprisant et cruel avec une femme passive, il ne savait comment s'y prendre avec une femme qui le défiait. Alors il finit par trouver le seul moyen digne de sa méchanceté : il multiplia ses hommages nocturnes qui me faisaient horreur. Ce fut à cette époque que je tombai enceinte.

Des semaines durant, le baron avait médité son coup, mais il hésite. S'il venait à être découvert, le scandale serait épouvantable. Il veut donc agir le plus discrètement possible, et malgré son impatience, l'occasion ne se présente pas. Ce soir-là pourtant...

Comme chaque après-dîner, depuis quelque temps, il invite le Français à faire une partie de cartes. La première fois, celui-ci, qui connaît les sentiments du baron à son égard, s'est étonné mais n'a osé refuser. Puis il a bien dû s'habituer. Les deux hommes sont installés avec moi dans le boudoir d'angle orné de stucs délicats, où l'on sert le café. La partie commence, se prolonge, s'éternise. Dans mon fauteuil, je bâille discrètement. Mon mari me surveille comme s'il n'attendait que le moment de me voir me retirer. La partie s'achève. Le Français fait le geste de se lever. Le baron lui en propose une seconde. Résigné, il se rassied. Je décide d'aller me coucher.

Après mon départ, le baron ne commence pas à jouer. S'il a autant fait traîner la première partie, c'était pour s'assurer que la maisonnée serait endormie et ne pourrait entendre. Il attend encore un bon moment, le temps, suppose-t-il, que je sois à mon tour endormie. Intrigué, le Français le fixe d'un air interrogateur. Le baron évite son regard et tient serré dans ses mains le paquet de cartes comme s'il voulait le broyer. Et puis il se décide à parler. N'ayant jamais été l'homme des longs discours, il propose immédiatement le duel. A mort, précise-t-il. « Je ne doute pas que vous en connaissiez les raisons. » Le Français accepte. Le baron suggère de se rendre à l'étage, dans une partie de la maison éloignée des oreilles indiscrètes. Le Français le suit. Ils arrivent dans la salle choisie par le baron qui allume quelques flambeaux. La clarté de la nuit d'été qui entre par les grandes baies assurera le reste de l'éclairage. Ils tirent leurs épées. Le baron est bien moins agile que le Français, mais la fureur lui donne une impulsion irrésistible. Le Français est un bien meilleur escrimeur mais l'après-midi passée avec moi et cette longue soirée l'ont fatigué. Une fois pourtant il manqua d'atteindre la baron. Possédé par la rage, celui-ci riposte avec une énergie décuplée. Il force la défense du Français, et d'un coup lui transperce le cœur. Son élan est si violent qu'il enfonce son arme jusqu'à la garde. Foudroyé, le Français tombe sur le tapis, mort. Quelques gouttes de sang fleurissent sur sa poitrine. Le baron le contemple un instant, se dirige vers la fenêtre, l'ouvre et jette son épée dans les douves. Puis il se retire avec la satisfaction du devoir accompli.

S'il prépara si minutieusement son coup, c'est aussi parce que, sans s'en rendre vraiment compte, il était étrangement attiré par l'officier français. Néanmoins, en provoquant, en se battant et en tuant l'amant de sa femme, mon mari n'agit pas seulement par jalousie ; peut-être voulait-il aussi détruire un être inaccessible, broyer en lui un sentiment qui lui était odieux. Le Français avait accepté le duel à la condition que je n'en saurais jamais rien, et curieusement, mon mari y consentit.

Lorsqu'il eut tué son adversaire, il passa dans ma chambre. Quand il entra, je fermai les yeux et simulai le sommeil. Je le sentis qui s'approchait, qui me regardait. Puis il se retira. Au petit matin, il fit enlever le corps de sa victime. Nos gens haïssaient les Français, qui représentaient l'invasion, l'occupation, la misère, et ils furent trop contents d'aider leur maître à se débarrasser du cadavre et lui éviter ainsi d'être inquiété par l'occupant.

Le lendemain, constatant l'absence du Français, j'interrogeai mon mari. Il me répondit qu'il avait reçu des ordres et était parti dans la nuit juste après la partie de cartes. Compte tenu de la période et de la situation, cela n'avait rien de particulièrement étonnant. Je ne mis donc pas en doute les paroles de mon mari. Mon amant me manqua, certes, mais son départ ne me causa pas de véritable chagrin. Et puis, assez vite je fus occupée à préparer la naissance de mon enfant. Ce fut un garçon et tout de suite j'eus un doute qui ne me lâcha plus. Le père était-il le Français ou mon mari ? L'un comme l'autre auraient pu l'être. Dès qu'il fut né, je ne cessai d'interroger cet enfant, j'interrogeai ses yeux, ses cheveux, sa bouche, son âme. Cette incertitude me déchirait car, selon que j'imputais mon enfant au baron ou au Français, mes sentiments pour lui variaient.

Cependant, malgré le doute qui me le rendait tour à tour attachant ou odieux, il occupait suffisamment mon existence pour servir de barrage entre mon mari et moi. Celui-ci conçut-il les mêmes doutes que moi ? Il avait en tout cas une étrange attitude : il l'évitait soigneusement. A peine l'enfant entrait-il dans une pièce qu'il en sortait précipitamment, à croire que le petit garçon représentait un danger. Pourtant, un jour il partit avec lui en voyage sans me prévenir. Mon fils avait atteint ses quatre ans. Ils furent absents toute une semaine, au bout de laquelle j'entendis une berline de voyage rouler dans la cour. Par la fenêtre, je vis descendre mon mari et mon fils. Bientôt ils entraient dans mon boudoir. L'apparence de l'enfant, exsangue, livide m'alarma. Plus sombre que jamais, mon mari le poussa devant lui et me cracha : « Naguère, j'ai tué ton amant, et maintenant j'ai fait castrer ton bâtard afin de le rendre incapable de procréer. » D'une seule volée, il m'assena les deux coups qui me terrassèrent.

Je n'étais pas femme à combattre et d'ailleurs, que pouvais-je faire ? Des années durant, nous avons vécu dans ce château devenu la maison du malheur. Nous demeurions figés comme si le temps s'était arrêté à ce jour où j'appris l'atroce vérité. Mon mari ne sortait jamais de son humeur sombre car, de toute évidence, sa vengeance ne l'avait point satisfait. Je végétais, en proie au désespoir, incapable même de témoigner à mon fils la pitié que j'éprouvais pour lui. Il grandissait mais son esprit n'évoluait pas et il restait en permanence dans un état de prostration. En fait, peu à peu, la vie se retirait de lui. Il mourut le premier, puis à mon tour je disparus, jeune encore.

Je ne sais s'il faut aimer la vie, car elle est si souvent trompeuse et décevante. Mon existence a été gâchée. Combien d'êtres humains vivent-ils ainsi un désastre dont ils ne sont pas responsables ? Question de circonstances. Ce sont elles qui façonnent les êtres. La mort même ne m'a pas rendu justice car on a pris mon fantôme pour la « Dame bleue », une noble et pieuse ancêtre qui fut enterrée dans le chœur de l'église. Je suis seule. La période d'attente que je traverse me pèse. J'ai abordé le moment suprême, prisonnière de mes malheurs. Si je suis devenue fantôme c'est surtout parce que je n'ai jamais su aimer. Mieux vaut être malheureux par amour que par incapacité à aimer.

Le puits des sorcières

Gleichenberg
Styrie,
Autriche

Le comte Trauttmansdorff a bien du souci. Il a beau appartenir à un illustre lignage, posséder un nombre de châteaux qui fait de lui le maître virtuel de la Styrie, et occuper à la Cour de l'empereur Ferdinand les postes les plus prestigieux, il n'en est pas moins foncièrement préoccupé par sa descendance. Celle-ci n'est représentée que par un garçon malingre, souffrant des bronches et qui, à l'évidence, ne survivra pas. Rien ne pourrait empêcher qu'avec lui s'éteigne, à la grande douleur de son père, cette maison. Seul un miracle...

Un jour, la gouvernante promène l'enfant chétif dans les bois qui entourent la forteresse de Gleichenberg, principale résidence du comte. Peut-être l'air vif rendra-t-il quelque force au petit malade. Brusquement, des fourrés surgit une bohémienne. La gouvernante a un mouvement de frayeur, elle veut fuir, mais la bohémienne l'arrête : « Je ne te veux aucun mal. Écoute-moi. Cela fait longtemps que je vous vois, toi et l'enfant si faible, si diminué. Si tu ne fais rien, il va mourir. Aussi, je te le dis, va au fond de la vallée, tu trouveras sous un gros rocher une source. Tu donneras de son eau à boire à l'enfant. » Ayant parlé, la bohémienne disparaît.

La gouvernante ne dit rien à personne de cette rencontre, mais perdu pour perdu, elle se rend au fond de la vallée, trouve la source dissimulée par des herbes et des branchages, en rapporte de l'eau qu'elle fait boire à l'enfant. Au bout de quelques semaines, il est manifeste que l'enfant va mieux. Elle se risque alors à raconter au comte Trauttmansdorff sa rencontre avec la bohémienne et la découverte de la source. Le seigneur se rappelle avoir entendu dire que les Romains avaient en effet exploité dans la région des eaux thermales supposées guérir les affections pulmonaires. Depuis on en avait perdu la trace, et presque le souvenir.

Trauttmansdorff ordonne de rechercher la bohémienne et de la lui ame-
ner. Lorsqu'elle est mise en sa présence, il retire sa lourde chaîne d'or et
la lui passe autour du cou. Son fils, son héritier, grandit en force et en
vaillance. L'histoire se répand. Des malades viennent boire à la source et
sont, eux aussi, guéris. La réputation de la source va croissant et, grâce à la
bohémienne, Gleichenberg est aujourd'hui encore une ville d'eaux réputée
dans toute l'Autriche. Lorsque le comte Trauttmansdorff meurt, ce fils qu'il
a cru perdre hérite de sa fortune et de ses titres. Il devient un des conseillers
les plus écoutés de l'empereur Ferdinand, un de ses généraux les plus valeu-
reux dont les victoires ne se comptent plus. Selon l'usage, il exerce en son
château de Gleichenberg haute et basse justice.

Un jour, on amène une vieille femme parvenue au dernier état de la
déchéance, qui n'est plus qu'un tas de guenilles d'où sortent des membres
décharnés. Elle a commis quelques larcins. Le comte s'apprête à la juger
lorsque la vieille, toute tordue, relève la tête et lui dit d'une voix cassée :
« Un jour je t'ai rendu ta vie. Aujourd'hui rends-moi la mienne. » De dessous ses haillons, elle extirpe un bijou qu'il reconnaît immédiatement. C'est
la chaîne d'or naguère donnée par son père. Devant lui se tient celle qui,
dans son enfance, l'a sauvé. Il l'acquitte et jusqu'à sa mort veille à son
bien-être.

Bien des années plus tard, ce même comte Trauttmansdorff doit ins-
truire un procès en sorcellerie. Dans la grande salle de l'orgueilleuse forteresse, le mobilier Renaissance se marie à la rudesse de la construction
médiévale. Des tapisseries, des tentures opulentes sont accrochées sur les
gros moellons des murailles. De petites fenêtres laissent difficilement pénétrer le jour et les torches font luire le bois ciré des quelques meubles
sombres et énormes. Un angle de la salle est occupé par une sorte de petite
tour de pierre, percée d'une ouverture et coiffée d'une coupole. Gleichenberg plutôt qu'une demeure privée est la résidence du représentant de
l'empereur, et son aménagement reflète la froideur du pouvoir administra-
tif.

Devant le fauteuil de bois doré où a pris place le comte Trauttmansdorff
on a amené, enchaînées les unes aux autres, un groupe de femmes, des
paysannes de la région. Elles sont vingt ou vingt-cinq vêtues d'oripeaux
bariolés et de pendeloques bon marché. Dans leurs cheveux en désordre
sont piquées des fleurs artificielles et des plumes. Elles protestent contre
leur arrestation et profèrent des menaces. Ignore-t-on leurs pouvoirs ? Se
moque-t-on de leur vengeance ? Les mots terribles, effrayants, d'envoûte-

ment, de malédiction, d'évocation des puissances infernales jaillissent de leurs lèvres. Le comte Trauttmansdorff a lu en détail les éléments de l'enquête. Dans la grande salle du château de Gleichenberg, les hommes de loi rompus à toutes les subtilités de l'esprit et quasiment libres penseurs, les vétérans des guerres contre les Turcs qui servent de garde à Trauttmansdorff, tous ont peur. Et si ces femmes allaient faire apparaître, là, devant eux, le diable ? Seul Trauttmansdorff garde un certain scepticisme. Il surprend les regards apeurés qu'entre menaces et insultes les accusées lancent autour d'elles, il regarde les visages haineux, il voit les armes nues des gardes que les flammes des torches font scintiller. Il pense que c'est une bohémienne, une de celles qu'on traite de sorcières et qu'on veut faire mourir, qui lui a sauvé la vie, à lui et à tant de malades. Il n'est pas du tout convaincu que ces femmes soient des créatures dangereuses. Cependant, l'Église, l'empereur, la loi, requièrent les châtiments les plus durs contre les supposées filles du Malin. Et en les écoutant décrire minutieusement leurs pratiques, il commence à éprouver presque malgré lui cette peur instinctive des ténèbres et de l'inconnu. Autour de lui, la tension monte. Tous ceux qui sont là voudraient se débarrasser de la menace, et repousser le cauchemar figuré par cette vingtaine de femmes. Il faut les anéantir, et vite. Trauttmansdorff fait un geste.

« Ce château a toujours été sombre et triste », affirme sa dernière propriétaire, la comtesse Annie Stubenberg. Cette septuagénaire, grande, forte et droite, a conservé l'énergie de la jeunesse. Elle est bien représentative de cette lignée puissante et solide des Trauttmansdorff, dont elle descend par sa mère. Leur histoire, qu'on peut suivre depuis le début du XIVe siècle, est étroitement mêlée à celle des Habsbourg et, génération après génération, ils occupèrent les plus hautes charges de l'Empire. Que d'honneurs, mais aussi combien de malheurs que la comtesse Annie attribuerait volontiers au sort lancé par les sorcières. Depuis ce fameux procès, en effet, l'histoire de Gleichenberg est tissée de tragédies. La première, la pire étant peut-être ce qu'a vécu une comtesse Trauttmansdorff qui, au cours d'une guerre entre l'Empire et les Turcs, vit arriver au château les vingt et un cadavres de ses fils et de ses neveux. De siècle en siècle, les fantômes se multiplièrent au château, avec l'intention évidente d'en chasser les occupants. Mais ceux-ci étaient indifférents à leurs manifestations. Et pourtant ! Ils faisaient dans la chambre du grand-père de la comtesse Annie un tel vacarme, claquant les portes, ouvrant brusquement les fenêtres, soulevant et laissant retomber les coffres, que lorsque le malheureux se retrouvait dans son palais à Vienne, il ne pouvait dormir tant il était déshabitué du silence nocturne.

Un jour arriva en visite une comtesse hongroise qui ne croyait pas aux fantômes. Aucune des histoires qu'on lui raconta ne put l'ébranler et lorsqu'au milieu de la nuit un fracas terrible venu du couloir la réveilla, elle crut à une farce des enfants. Furieuse, elle ouvrit la porte et ne vit personne. Hors d'elle, elle alla réveiller le maître de maison, et exigea que les responsables du bruit fussent punis. Le comte Trauttmansdorff de l'époque – c'était le père d'Annie – s'efforça de la calmer et la ramena jusqu'à sa chambre. Là ils trouvèrent la porte close... de l'intérieur... alors qu'il ne pouvait y avoir personne. On dut appeler un serrurier en pleine nuit. La comtesse réintégra sa chambre et reprit son sommeil... troublé par les sorcières.

Le père de la comtesse Annie décida de se débarrasser une fois pour toutes de celles-ci. Cependant, il lui fallait agir sans attirer l'attention des villageois superstitieux. Il fit venir quelques ouvriers d'une ville lointaine qui, sur ses instructions, fouillèrent le fond du puits de la grande salle. Ils en retirèrent quantité de débris avant d'en exhumer une vingtaine de squelettes. Un rapide examen permit de conclure que tous appartenaient à des femmes, certains portaient sur le crâne et les côtes des traces facilement reconnaissables de blessures à l'arme blanche. Sur ordre du comte, les ouvriers enterrèrent les squelettes dans un coin écarté de la forêt et les recouvrirent d'une dalle de ciment. Ils opérèrent de nuit afin que nul ne les observe et que l'emplacement demeurât ignoré de tous. Puis, ayant juré le secret au comte, ils se dispersèrent.

La paix ne dura pas longtemps. A quelque temps de là, la femme du comte était en train de lire sur le perron. Entendant la cloche du déjeuner, elle leva la tête de son livre et vit une vieille, grotesquement vêtue d'un boléro vert et d'une jupe rouge, qui passait sur la terrasse. « Qui es-tu ? Que fais-tu ici ? » La vieille ne répondit pas, continua jusqu'aux créneaux, les enjamba et disparut. La comtesse se leva d'un bond et courut au rempart, sûre de trouver la malheureuse écrasée au fond du précipice. Il n'y avait personne, ni vivant ni mort.

Plusieurs mois après, tandis qu'elle visitait une église des environs, elle tomba en arrêt devant un tableau qui représentait une femme très laide, très âgée, portant la même tenue que son inconnue, un boléro vert et une jupe rouge. Le cartouche indiquait : « Sorcière de Gleichenberg ».

Les fantômes, qui s'essayaient avec obstination à faire fuir par la terreur les habitants de Gleichenberg, purent croire avoir enfin gagné lors de la dernière guerre. Point stratégique au Moyen Âge, la forteresse le demeurait au XXe siècle et il s'y déroula une furieuse bataille. Six fois elle fut prise et reprise par les SS et par les Russes. Lorsque ses propriétaires réintégrèrent les lieux, ceux-ci étaient dans un tel état que la solution semblait être de les abandonner. Les toitures n'existaient quasiment plus, à l'intérieur tout avait été détruit ou pillé. Cela ne découragea pas la comtesse Annie et son mari, un couple courageux et énergique, ataviquement attachés à leur terre. Ils s'installèrent dans les communs et entreprirent les premières et indispensables réparations. A ce moment-là arrivèrent les premiers réfugiés de l'Est, chassés par les Soviétiques. Lorsque le comte Hunyadi, vieil ami d'avant guerre, se présenta, il ne restait plus une chambre de libre dans les communs. Aussi la comtesse Annie lui proposa, faute de mieux, de passer la nuit au château. Elle le prévint qu'il y serait complètement seul... sans personne pour le défendre des locataires de l'au-delà.

Le comte Hunyadi apparut au petit déjeuner calme et plutôt reposé. Il avait, certes, entendu des quantités de visiteurs invisibles marcher dans sa chambre, tandis que dans la cour des meutes de chiens aboyaient et que des chevaux hennissaient. Mais pendant la guerre il avait vu tant d'atrocités commises par les vivants que les morts ne lui faisaient pas peur.

La comtesse Annie voulut en avoir le cœur net. La nuit suivante, elle fit clouer les portes de la chambre de son invité, croiser des hallebardes sur le chambranle et pousser devant le plus lourd coffre Renaissance du château. Le lendemain matin, avant que son hôte ne soit sorti de chez lui, elle put constater que la porte avait volé en éclats, que les hallebardes et le coffre se trouvaient au milieu de la galerie.

Elle n'en poursuivit pas moins la restauration du château et s'y réinstalla.

Furieux de cet échec, les fantômes ne renoncèrent pas, eux non plus. A trois reprises, en quelques années, le château brûla. Le dernier incendie se produisit la nuit. Des villages des environs, on vint contempler le spectacle terrible et somptueux des hautes flammes jaillissant des murs, là-haut, tout en haut de la colline. Et cette fois, les propriétaires s'avouèrent vaincus. Ils s'installèrent dans les ravissants communs et laissèrent le château aux ronces, aux corbeaux et aux esprits. La nature y reprit ses droits et l'entoura, tel le palais de la Belle au Bois Dormant, d'une végétation de plus en plus impénétrable.

Nous roulions, Justin et moi, dans cette Styrie couverte de forêts qui s'étagent sur les collines parfois escarpées, au sommet desquelles apparaissent les tours de quelque antique forteresse. La ville d'eaux de Gleichenberg surpeuplée en été se vide en hiver, au point que nous crûmes être arrivés dans une ville abandonnée, avec ses grands hôtels fermés et ses rues désertes. La comtesse Annie nous reçoit dans sa charmante maison avec

cette chaleur, cette simplicité et cette noblesse typiquement Mittel-Europa. De ses fenêtres on aperçoit, à quelques encablures à peine, dissimulées par les grands arbres, les ruines de ce qui fut sa demeure et celle de ses ancêtres et dont les murailles déchiquetées semblent de gigantesques doigts noirs pointés vers le ciel.

Depuis le dernier incendie, celui qui l'avait chassée, elle n'était retournée sur les lieux qu'une seule fois. Un prince de la première maison d'Europe, versé dans l'occultisme, en visite chez elle, avait proposé d'évoquer les sorcières dans le sous-sol de la grande salle, là où leurs squelettes avaient été exhumés. Les personnes présentes n'avaient pas été déçues : des éclairs avaient jailli du sol, un chevalier en armure avait saisi le prince spirite par les épaules et l'avait soulevé, enfin un énorme chien jaune et cornu, forme bien connue du diable, s'était montré. La comtesse Annie demeure persuadée que son ancien château gardait toute sa puissance maléfique. Parfois, des touristes assez hardis pour s'aventurer dans ces ruines viennent lui en apporter confirmation. « Souvent, des gens viennent frapper à ma porte pour se plaindre parce que, se promenant tranquillement, des enfants qu'ils n'ont d'ailleurs pas vus, leur ont lancé des pierres. » Seulement, il n'y a aucun enfant au château de Gleichenberg.

Tout en affirmant qu'elle ne veut plus rien avoir à faire avec la forteresse, Annie continue à être curieuse des secrets qu'elle abrite, même si elle les redoute. Une rumeur a traversé les siècles, faisant état de très longs souterrains qui partiraient du château dans différentes directions. En réparant récemment un mur, les ouvriers virent s'ouvrir devant eux un grand trou. La comtesse Annie le fit aussitôt combler de crainte de laisser s'en échapper quelque sorcière morte plusieurs siècles auparavant.

Naguère, elle s'était laissé arracher par des cousins l'autorisation de fouiller en règle le soubassement. Ils avaient écarté les buissons, trouvé des ouvertures. Armés d'échelles de cordes et de lampes pigeon, ils étaient descendus dans des puits noirs, et avaient découvert de vastes salles souterraines. Ils étaient prêts à poursuivre leurs investigations, mais Annie leur avait enjoint de tout arrêter. « Je ne voulais pas qu'il leur arrive malheur. »

Une indiscrétion lui apprit un jour que certaines personnes connaissaient l'existence des souterrains et que de mystérieuses réunions nocturnes s'y tenaient. Jouant les détectives amateurs, la comtesse suivit une piste qui la conduisit chez un antiquaire de la région.

Rendue méconnaissable par une perruque et des fausses lunettes, elle entra dans la boutique... et ne trouva personne. Elle put à loisir explorer les recoins. Une échelle de bois menait vers une soupente qu'elle ne résista pas à inspecter. Elle y vit des tableaux, des meubles qu'elle soupçonna avoir été volés dans les châteaux des environs. Elle était tombée chez un receleur. Justement celui-ci apparut, grondant, menaçant. Il la jetait sans ménagement à la porte lorsqu'il eut un éclair de reconnaissance. Son attitude se fit à peine plus conciliante et, avant de fermer la porte de son magasin sur elle, il lui lança : « Au lieu de fouiner chez moi, comtesse, vous feriez mieux de chercher dans les archives du Landesmuseum de Gratz. » Annie s'y précipita et sursauta en mettant la main sur un gros dossier portant l'inscription

« Plans des souterrains du château de Gleichenberg ». Le cœur battant, elle l'ouvrit. Ce n'étaient que les plans d'une villa moderne, les anciens avaient été volés. Par qui ? Pourquoi ?

La comtesse Annie voit dans ces faits inexplicables autant de mises en garde. Elle conseille de ne pas tenter d'approcher les invisibles habitants de la forteresse de Gleichenberg enfin maîtres des lieux : « Ils sont violents et capables de tout. N'y allez pas, j'ai peur pour vous. » Ses affectueuses tentatives pour me décourager ne font qu'accroître mon impatience. Munis de ses recommandations et de ses prières, nous la quittons.

Sur le sentier, très vite les lianes et les ronces se font plus épaisses gênant la marche. Le pont est aux trois quarts écroulé ; la neige, la boue rendent l'étroit passage glissant. Il s'en faudrait de peu que nous finissions dans les douves. De l'autre côté, nous nous heurtons à une énorme porte en fer, vieille de trois cents ans. Sous notre poussée, elle s'ouvre en grinçant. Nous escaladons une pente boueuse en nous accrochant aux racines. A plusieurs reprises, nous manquons de tomber dans des sortes de tranchées à demi recouvertes de lierre. Par un portail en partie effondré, nous pénétrons dans la cour. Une surprise nous y attend, au milieu des murailles éboulées et des arbres poussés sauvagement : une façade est restée intacte. Avec ses arcades et ses loggias, elle rappelle, en ce lieu sauvage, la grâce et la douceur de l'Italie.

Dans ce château dévasté par le feu et par le temps, le silence, l'immobilité règnent avec peut-être, tapie quelque part, une vague menace. La lumière commence à baisser, mais un étonnant soleil de février continue à briller. Je grimpe jusqu'au plus haut point accessible, le faîte d'un mur suspendu au-dessus du vide. Tout autour de moi la campagne s'étend sur des dizaines de kilomètres, bois et prairies confondus dans des ombres gris-bleu. A l'horizon, des lueurs rouges frangent des nuages sombres. La paix du soir m'entoure, qui, étrangement, ne me semble pas contradictoire avec la possible présence des sorcières. Je me faufile entre des éboulis enneigés, et je trouve enfin la grande salle, celle-là même où elles furent jugées. Tels des bras qui se tordent, des racines d'arbustes sortent des parois. Le grand mur du fond tient encore, et se dresse à travers les plafonds crevés. Avec ses cinq mètres d'épaisseur, il a résisté pendant plusieurs mois durant le Moyen Âge aux boulets du roi Ottokar de Bohême.

Dans l'angle le plus reculé de la grande salle, je distingue malgré l'ombre qui envahit la pièce une sorte de petite tour ronde, surmontée d'un dôme. C'est le fameux « puits des sorcières ».

Je marche de long en large, envahi par un sentiment d'isolement total.

Je suis loin de tout et de tous... les vivants. Les sorcières sont proches. Mais je n'ai rien à craindre d'elles. Il y a cependant quelque chose, ou plutôt quelqu'un d'autre, qui me ferait presque peur. Un bruit léger me fait sur-sauter : probablement un caillou détaché du mur. Je reprends mes déambu-lations, m'efforçant de chasser l'anxiété qui s'insinue en moi. On ne veut pas de moi ici, mais ce ne sont pas les sorcières qui me rejettent. Je pousse un cri. Un gros caillou m'a frôlé qui tombe à côté de moi... Je reste figé, aux aguets, le cœur battant, puis je sens le danger s'éloigner.

Fantômes nous sommes mais moins malheureuses que ceux qui nous ont condamnées. Au lieu de former une bande sinistre et menaçante, nous dansons et rions joyeusement. A vrai dire nous n'étions pas bien méchantes. Nous avons tâté d'un peu de magie noire, nous faisions des évocations, mais aujourd'hui tout cela passerait pour des enfantillages. Paysannes cossues de la région, nous appartenions à des familles d'agriculteurs aisés mais étions ignorantes – en particulier, de la gravité de ce que nous faisions durant nos sabbats. Nous imaginions être de puissantes sorcières capables de changer le monde. En fait, nous n'étions que des amateurs. L'ennui nous poussa à nous engager dans cette voie inquiétante. Nos maris passaient leur temps aux champs et, bien qu'il y eût les enfants, la maison à tenir, nous pouvions nous faire aider et ces occupations ne nous satisfaisaient pas. Surtout, nous avons été entraînées par l'atmosphère de notre époque. En effet, les conflits, les guerres, les invasions, les querelles religieuses qui ensanglantaient l'Europe bouleversaient les croyances traditionnelles, les anciennes valeurs, les vieux principes. Tout se disloquait dans ce monde mouvant. Emportées par le mouvement général, nous avons vu se défaire notre foi ancestrale et nous ne savions plus très bien où nous en étions.

C'est alors que nous entrâmes en contact avec une sorcière, une vraie. Elle comprit les possibilités que notre état d'esprit, notre disponibilité lui offraient. Elle nous corrompit, elle nous initia. Elle nous fit pénétrer dans le royaume des ténèbres sans nous en donner la clef, en nous faisant croire que nous avions le pouvoir et la connaissance.

Guidées par la sorcière, nous avons fabriqué des philtres, non pas des philtres de mort, car nous n'avons empoisonné personne, mais des philtres d'amour, pour l'une ou l'autre d'entre nous. Nous avons aussi essayé l'envoûtement... sans aucun résultat. En revanche, ceux de notre maîtresse réussissaient à tout coup, et d'une façon foudroyante.

Nous nous réunissions dans un endroit isolé de la campagne et au cours de nos sabbats nous évoquions le diable. La facilité avec laquelle il se manifestait nous renforçait dans notre illusion. Que ce soit sous la forme d'un chien jaune, d'un bouc ou de quelque autre animal monstrueux, le diable, dont le nom recouvre ces puissances des ténèbres toujours proches, est toujours prêt à accourir au moindre appel.

Soudain, notre initiatrice nous abandonna. Elle avait compris que le danger menaçait. Elle disparut comme en fumée, elle échappa. Restées sous son charme maléfique, envoûtées, nous n'avons pas vu venir le danger. Au contraire, nous étions de plus en plus imprudentes. Enivrées de nos misérables succès, nous voulûmes élargir notre cercle et nous invitâmes à nos sabbats d'autres femmes, avec l'intention de les initier à leur tour. L'une d'elles, horrifiée, courut tout rapporter aux autorités. Nous avons toutes été arrêtées et conduites dans ce château.

Notre procès se tint dans cette grande salle et dura longtemps. Dans leur naïveté et pour prouver leur innocence sans doute, les femmes que nous avions voulu initier grossirent les choses et nous peignirent telles qu'au fond nous aurions voulu être, c'est-à-dire comme les sorcières les plus puissantes du monde. Un seul témoin dit la vérité. L'une d'entre nous n'avait pu garder le silence et, bien avant le procès, avait tout raconté à son mari pour l'impressionner. Il n'avait fait que rire. Lorsqu'elle lui avait décrit les envoûtements et les évocations du diable, il avait ri de plus belle. Après notre arrestation, désespéré de la savoir en danger, il tenta de nous sauver. Il répéta au tribunal ce qu'il avait répondu à sa femme, à savoir sa conviction que ces prétendus sabbats n'étaient que bêtises et frivolités. « Les frivolités de l'enfer ».

Il trouva un écho chez le gouverneur de la province, le comte Trauttmansdorff, qui présidait le tribunal. Cet homme sensé n'avait aucune envie de nous envoyer à la mort. Selon lui, il aurait suffi de nous fouetter publiquement pour nous punir de notre sottise. Il fit tout son possible pour que le récit du mari fût pris en compte.

Mais il y avait les autres et, notamment, derrière son fauteuil doré, ce robin, cet homme de loi, ce prêtre manqué. Il avait l'âme basse et ne supportait pas sa position subalterne. Il aurait voulu accéder à la notoriété et au pouvoir mais personne ne lui prêtait attention. Pendant des années, il rongea son frein.

Notre procès lui offrit l'occasion dont il rêvait. Diaboliquement rusé et rompu aux arguties juridiques, le manipulateur se fit un jeu de démolir le témoignage du mari. Plus, il réussit à faire peur au comte Trauttmansdorff en lui représentant que son indulgence sèmerait le désordre dans la province et aurait des conséquences néfastes pour sa carrière.

Avec son verbe fleuri, il apparaissait tout d'abord non point comme notre adversaire mais comme un ami indulgent qui voulait nous aider. Or, tout en feignant de nous chercher des circonstances atténuantes, il nous faisait parler de façon à aggraver encore un peu plus notre cas. Finalement, il eut raison des témoins, des juges, du comte Trauttmansdorff et de nous-mêmes, et il emporta la sentence de mort. Nous fûmes condamnées à être jetées vives dans ce "puits", là, dans le coin de la salle.

Cependant les bourreaux avaient beaucoup plus peur de nous que nous d'eux. L'homme de loi avait créé une telle psychose de terreur que personne ne voulut nous toucher. Malgré les injonctions, nous refusions de sauter dans le puits de la mort. Alors ils nous poussèrent, nous piquèrent avec leurs épées et *leurs hallebardes. Certaines furent transpercées à mort, d'autres, blessées, finirent par se jeter dans le trou noir. Celles qui résistaient encore furent impitoyablement mutilées avant de rejoindre les autres au fond de ce « puits des sorcières »... qui n'avait jamais été un puits. Même pressés d'en finir, les bourreaux n'auraient pas été assez fous pour nous précipiter dans une citerne, où nos cadavres auraient pollué l'eau potable. En ces années de guerre, le temps et la place manquaient pour enterrer les morts, aussi les abandonnait-on dans un très profond puits sec où, grâce à un système de ventilation, ils se décomposaient rapidement sans empuantir le château.*

Notre procès fut un tremplin pour celui qui avait obtenu nos têtes. Il fit d'abord une carrière fulgurante mais, gonflé d'orgueil, il osa défier les grands auxquels il avait jusqu'alors obéi servilement. Alors les grands le renvoyèrent dans son obscurité première où il mourut, frustré et misérable.

Le comte Trauttmansdorff, quant à lui, n'oublia jamais la cruelle exécution dont il avait été l'involontaire ordonnateur. Ses yeux se dessillèrent, il ne douta plus d'avoir commis une injustice et ne cessa d'implorer de Dieu son pardon.

Notre fin tragique avait en vérité une cause profonde et occulte. Il fallait que nous subissions le châtiment pour avoir eu accès à des secrets qui ne nous étaient pas destinés, et pour avoir joué avec le savoir en amateurs bornés. Il y a des forces, positives ou négatives, qui ne doivent être manipulées que par des initiés. Ceux qui les utilisent à mauvais escient, ceux qui révèlent le secret, ceux qui n'ont pas l'énergie, la connaissance et la pureté pour les dominer en deviennent les victimes. Nous en sommes l'exemple.

Nous avons besoin de prières. A quelque Dieu qu'elles s'adressent, en quelque temple ou sanctuaire qu'elles soient dites, cela n'a pas d'importance. Si rapide qu'elle soit, si légère, la moindre prière contribuera à nous faire rejoindre la lumière à laquelle nous aspirons.

Innombrables sont les êtres qui meurent tragiquement et donc qui sont condamnés à demeurer pendant un certain temps à l'état de fantômes. Cependant, seule une infime minorité est autorisée à se manifester. Pourquoi avons-nous été choisies plutôt que d'autres, en vérité nous ne le savons pas, mais ceux qui sont choisis le sont toujours pour attirer l'attention sur quelque chose, ou mettre en garde. Nous autres, les sorcières de Gleichenberg, sommes chargées de décourager les visiteurs. Pour ce faire, bien que de notre vivant nous ayons possédé un physique des plus ordinaire, nous revêtons l'aspect le plus terrifiant.

Ces lieux, par les légendes qui les entourent, attirent des personnages qui ne sont pas bien dangereux. Des amateurs, séduits par les sombres arts et par les manifestations de l'au-delà, se prennent pour des nécromants et se réunissent ici afin d'essayer de découvrir des secrets, d'acquérir des pouvoirs. Ils sont proches de ce que nous fûmes, ils font ce que nous faisions, mais si, comme nous, ils ont les intentions, ils n'ont pas les pouvoirs. Loin de mesurer les dangers qu'ils encourent, ils batifolent avec l'au-delà alors qu'autour d'eux, au-dessus d'eux, en dessous d'eux, sans qu'ils s'en doutent, plane une effarante menace.

Un pouvoir démesuré est enfoui dans cette terre dont les composantes abritent des énergies insoupçonnées. Utilisées à bon escient, elles guérissent, elles rajeunissent, comme l'eau de la source, c'est ce qui explique qu'en dépit des massacres et des drames, ce lieu resté bénéfique fascine toujours. Bien des hommes sont venus ici, porteurs d'ambition, de pouvoir, de cruauté. Alors les énergies enfouies ont jailli, profitant de leur faiblesse pour produire des explosions de violence, pour répandre des torrents de sang, car chaque pierre du sol de ce château en a été couverte. Le château, par trois fois brûlé, ayant été abandonné, cette puissance des ténèbres peu à peu s'est affaiblie faute de nourriture, c'est-à-dire faute de victimes humaines, et finira par s'évanouir complètement. Néanmoins, ces lieux restent encore dangereux comme tous ceux qui ont été puissamment chargés.

Nous avons donc mission de monter la garde, mais nous ne sommes point seules. Bien d'autres drames que le nôtre se sont déroulés en ces murs, et il ne faut pas les ranimer. De noirs esprits, les fantômes d'êtres insatisfaits, capables de faire le mal, habitent cet endroit. Des gémissements, des cris retentissent, il faut se boucher les oreilles, ne pas s'attarder et s'en retourner.

Vous les vivants, vous nous comprenez si peu, vous nous connaissez si peu, nous les fantômes. Bien sûr, vous regrettez ce mort que vous avez aimé, vous le pleurez, mais seulement parce qu'il vous manque. Nous avons besoin de vous, de vos pensées, de vos prières, de vos intentions, de l'énergie que vous possédez sans le savoir... Vous pouvez améliorer la condition des fantômes, ces êtres en attente, qui souvent ne sont pas heureux. Humbles vivants dépourvus de connaissance, de sagesse, errant dans les ténèbres de cette terre, vous pouvez assister ceux qui sont de l'autre côté du mur de cristal. Chaque fois que vous pensez à nous, chaque fois que vous priez pour nous, une fusée part dans le ciel et cette lumière vous reviendra, vous aidera et vous éclairera.

Nous tenons à remercier tous ceux qui nous ont aidés à constituer les chapitres publiés dans cet ouvrage. Nous remercions aussi ceux dont les histoires n'ont pu trouver place. Voici leurs noms dans l'ordre chronologique de mes recherches et de nos voyages.

Le prince di Soragna, la comtesse Violante Visconti, la princesse Alexandra de Chimay, John Nicolas Colclough Esq., John et Fiona Bellingham, Mrs Elizabeth Hickeys, Arthur Montgomery Esq., Mme Bruno Van der Broek, la duchesse de Brissac, Mlle Adélaïde de Clermont-Tonnerre, le marquis et la marquise de Beaumont, le comte Johannes Nostitz, la comtesse Annie Stubenberg, la comtesse Andrea Stubenberg, la comtesse Maïdi Goess, Lucas Praun, Philippe Manet, la vicomtesse Rose de Porto da Cruz, la comtesse Maria Luisa de Villa Flore, la comtesse Marie José de Villena, M. et Mme Philippe Nothomb, le duc et la duchesse de Segorbe, doña Luisa Moxo, la marquise de San Mori, le duc de La Palata, doña Feli Odriofola, le comte Christophe Meran, le baron Karl von Ketteler, le baron et la baronne Clemens von Ketteler, Andrew Marshall, Mme Gaby Mikelis, lord Courtenay, Michaël Thonason, Mme Paul Annick Weiller, Igor Mitoraj, Barbara Koenig, Jacek Kiec, Witt Karol Wojtowicz, Sergiusz Michalcruk, SAR Monseigneur le prince consort de Danemark, le comte Ahlefeld-Laurvig, Einer Lange, Erik Iuel, Louba Bogdanova, Andreï Maylunas, Ludmila Koval, Nathalie Lavriovna, M. et Mme Alexandre Lagoya, Mme Catherine Le Couey.

Nous voudrions mentionner spécialement la baronne Maria von Ketteler, qui décéda quelques semaines après nous avoir si chaleureusement reçus.

Nous remercions pour la fabrication de cet ouvrage : Yannis Petsopoulos, Misha Anikst, Edouard Sottocosa pour sa patience, Akira Nashi pour la qualité de ses tirages, Dominique Toutain pour la maquette.

Michel de Grèce et Justin Creedy Smith.

Je voudrais saisir cette occasion pour remercier ma famille et mes amis, particulièrement pour leurs conseils et leur aide en photographie : Simon Kitching, Patricia Grenier et le studio d'Alésia, Jacques Denarnaud, Nicoletta Santoro, Peter Lindbergh, Vincent Dixon, Joel Laiter. Et Ian Thomas qui, d'en haut, veille sur moi.

Sur ce chemin de Damas, je voudrais remercier Nori Yasui, Kasumiko, Murakami, Mitoski Okamoto, Kumiko Oga, Gilles Hertzog, Patrick de Bourgues, Georges Autaki et Jeremy Seal.

Par-dessus tout, je souhaite remercier l'Ange Gardien et Michel sans qui il n'y aurait pas eu de cette lumière.

Justin Creedy Smith.

Je remercie

Dominique Patry pour ses recherches, Mme Odile de Crépy pour avoir assuré la frappe du manuscrit avec célérité, efficacité et dévouement, Olivier, Patrick, Mme Thérèse-Marie Mahé, pour leurs critiques pertinentes et précieuses, et surtout Marina qui eut la patience de lire méticuleusement les cinq versions successives de cet ouvrage et le courage de m'en inspirer ses transformations.

Michel de Grèce.

Table

Photogravure Nord Compo
Photocomposition Nord Compo

N° Edition : 12538
Dépôt légal : Mai 1995

Achevé d'imprimer par MAME Imprimeur à Tours